シャーロック・ホームズの大追跡

SHERLOCK HOLMES

ライ・ホー 作
ユー・ユエンウォン イラスト
三浦裕子 訳
コナン・ドイル キャラクター原案

小学館

シャーロック・ホームズ 1

この『シャーロック・ホームズの大追跡』は、コナン・ドイルが書いた“名探偵シャーロック・ホームズ”の設定を参考にして書かれた、オリジナル作品です。

本文の中にある、かざりがついている言葉は、本文の下（らん外）にその意味が書いてあるよ。お話といっしょに、読んでみてね！

（意味は主に、小学館『例解学習国語辞典　第十一版』を参考にしています）

らん外——本や新聞の紙面の囲いの外。余白の部分。この本では、ここに言葉の意味が書いてあるよ。

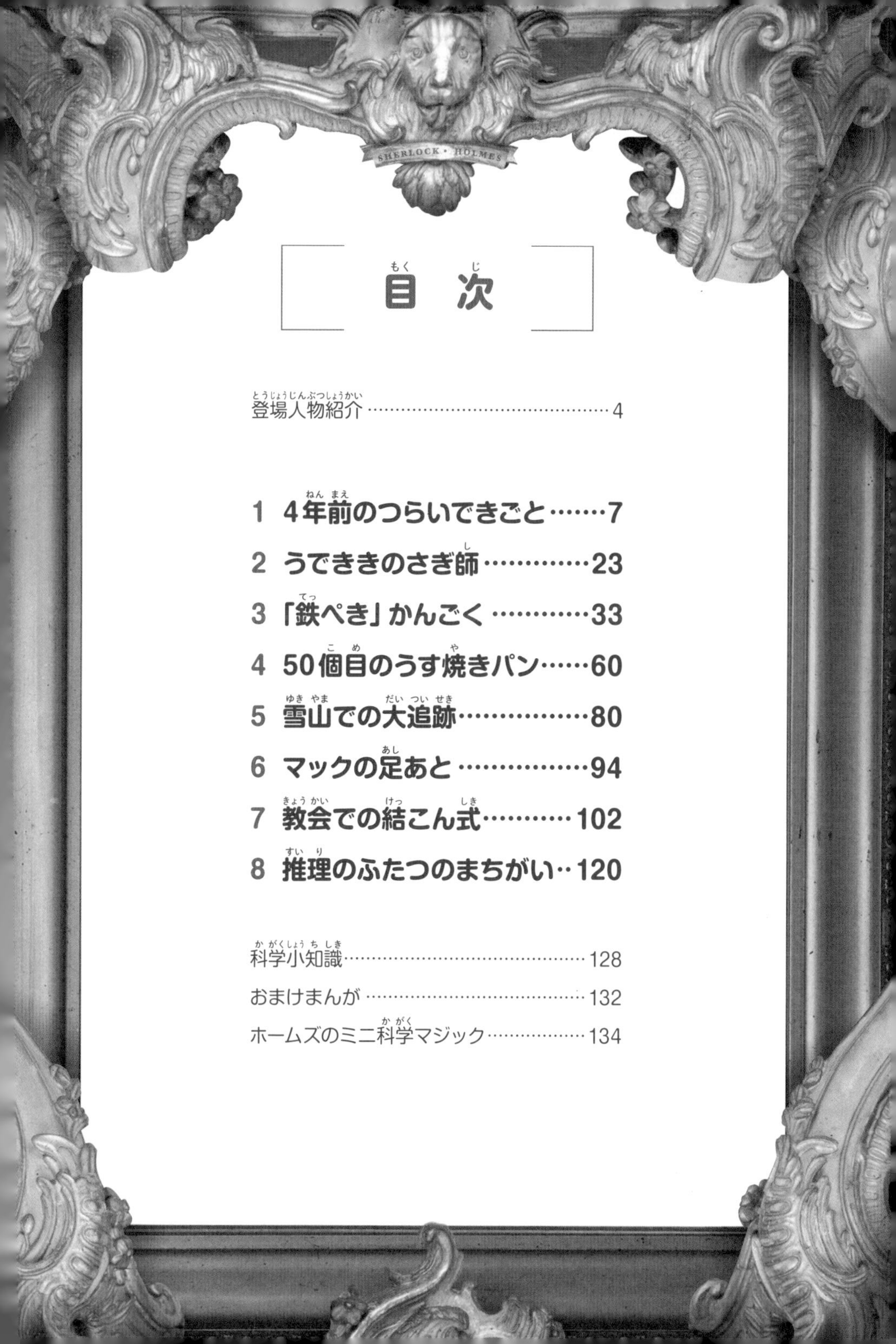

目次

登場人物紹介

シャーロック・ホームズ

ロンドンでもっとも有名な私立探てい。ベイカー街221Bに住んでいる。

身体能力が高く、武術の心得がある。パンチ力は120キロとのうわさもある。

頭脳明せきで知識が豊富、すぐれた分せき力を持ち、散らかった犯罪現場から事件の経過を読み取ることができる。警察が見落とした小さな手がかりを見つけることもよくある。

音楽と読書を愛し、バイオリンのうではプロ級。

眼光するどく、射げきのうで前は神わざ級。視力と観察力にすぐれ、相手のすばやい動きを予測して、こうげきをよけることができる。

足が速く、100メートルを11秒で走れる。すばらしいジャンプ力でへいを簡単に乗りこえることもできる。

スコットランドヤード(ロンドン警視庁の別名）の警部。目立ちたがり屋だが、そう査能力は高くなく、いつもホームズに助けを求める、でこぼこコンビ。

ワトソン

医者。ホームズが事件を解決する時の良きパートナー。善良な人がらで、喜んで他人を助ける。ホームズとともにベイカー街221Bに住んでいる。

マック ヨーロッパでもっとも有名なさぎ師。ケイティという名前のむすめがいる。

ポーリー

「鉄ぺき」と呼ばれるかんごくの所長。

ヤセザル

「鉄ぺき」かんごくの看守。

スカーフェイス

「鉄ぺき」かんごくに収容されているきょう悪な殺人犯。

シャーロック
SHERLOCK
HOLMES
ホームズ

4年前のつらいできごと

シャーロック・ホームズと**ワトソン**の住むロンドン、ベイカー街221Bの部屋。

大家のおばさんが階段を上がってきて、ホームズに1通の**電報**を差し出した。「ホームズさんにですよ」

「ありがとう」ホームズが受け取ると、そこには、メッセージがたった2行書いてあるだけだった。

ホームズは顔を上げた。心の中に、何とも言えない気持ちがわき上がった。「**マック**が……**だつごく**した？」

マックだつごく
すぐてっぺきにこられたし
フォックソン

ホームズの頭の中に、4年前のあのつらい光景がよみがえってきた……。

電報——電信で送る通信。また、その通信文。
だつごく——しゅう人がけい務所からにげ出すこと。

それは、とある日曜日のこと。その日は、ロンドンにしてはめずらしく、おだやかな良い天気だった。青い空は一片の雲もなくすみわたり、**うららか**な日ざしに、だれもが晴れ晴れとした気持ちになっていた。

ある屋しきの庭から、楽しそうな笑い声がひびいてきた。少女たちが、ごちそうでいっぱいのテーブルを前に、にぎやかにしゃべったり、ゲームをしたりしている。だれかの誕生日パーティーが開かれているようだ。

うららか——日の光がのどかで、気持ちのいい様子。

屋しきから道をはさんで向かいにある建物の2階に、じっと身をひそめる3人の姿があった。かれらは窓から屋しきの庭を見下ろし、パーティーに集まった少女たちの**一挙手一投足**を見守っていた。

その3人とはほかでもない、みなさんご存じの**名探ていシャーロック・ホームズ**、そして**スコットランドヤード**の**ゴリストレード警部**と**フォックソン警部**だった。

「やつはほんとに来ますかね?」

フォックソンは声をひそめて言った。

「きっと来る」ホームズが言った。

「あそこにいるのは、やつにとってはたったひとりの大事なむすめだ。誕生日には毎年必ず会いに来ているから、今年

一挙手一投足――手足のこまかい動きや、ふるまい。

スコットランドヤード――ロンドン警視庁の別名。

だけ来ないはずはない。やつは冷こく無情にさぎをはたらくが、血のつながったむすめに対しては、やはり父親としての愛情があるんだろう」
「フン！　そう願いたいところだな。さぎをなりわいとしているような社会のクズに、そんな人間的な感情があるもんかね。あったとしても、自己満足のためのぎ善に決まってるさ」
　ゴリストレードが、はき捨てるようにそう言った。
「そうかもしれない。しかし、これまでやつがやってきた犯罪には、ひとつのルールがあるようだ。だまされた人々は、みな欲深い金持ちばかり。やつはそういう人たちの欲を逆手にとって、お金や財宝をだまし取っているんだ」ホームズが言った。
　フォックソンはちょっと考え、うなずきながら言った。「確かに、やつが貧しい人のお金をだまし取ったことは、今までに一度もないですね。やつにも

冷こく——思いやりがなくむごいこと。
無情——思いやりがないこと。はくじょう。不人情。
さぎ——人をだまして、損害をあたえること。
なりわい——生活をしていくためにする仕事。
ぎ善——本心からでなく、うわべだけは良い行いをしているように見せかけること。

まだ**良心**というものがあるのかもしれません」

「フン！　良心があろうとなかろうと、犯罪は犯罪だ。やつが現れたら、必ずとっつかまえて、かんごくに放りこんでやるぞ！」

ゴリストレードが厳しい表情で言った。

ホームズたちの言う「やつ」とは、有名なさぎ師、マックのことだった。

マックに妻はいなかったが、14歳のむすめ、**ケイティ**がいた。マックはさぎをはたらくのに都合のいいように、友人の家にケイティを預けていた。だが毎年、ケイティの誕生日にだけは、必ずどこからともなく姿を現し、むすめに会いに来るのだった。

ケイティは、マックが自分の本当の父親であることは知らず、ただ、毎年自分の誕生日にやってきて、かわいいぬいぐるみをひ

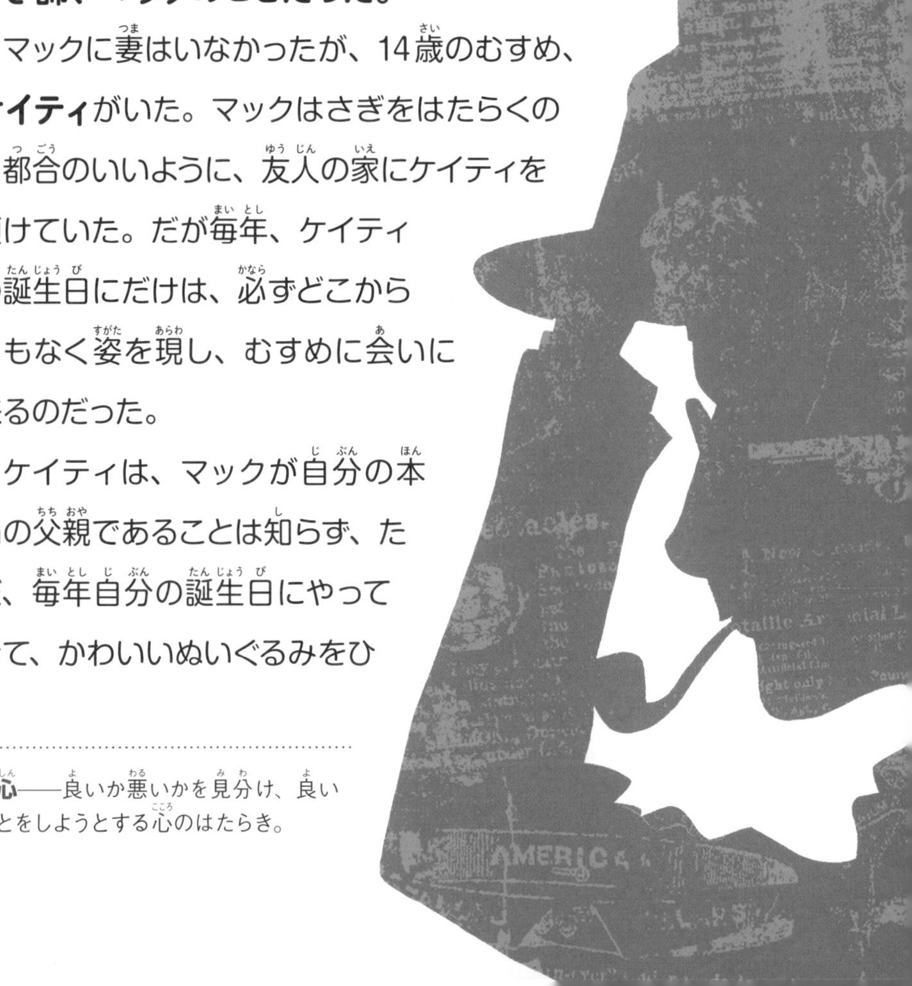

良心——良いか悪いかを見分け、良いことをしようとする心のはたらき。

とつプレゼントしてくれる優しいおじさんだと思っていた。今ではこれまでにマックにもらった、さまざまな表情のぬいぐるみが14個、かのじょの部屋に並んでいた。

マックは、ヨーロッパ大陸全土を**縦横無じん**にかけ回り、さぎ事件を起こしていた。マックは事件ごとに名前を変え、得意の**変装**で完全に別人のようになることができたので、どの国の警察もかれをつかまえることができなかった。

そして今から少し前、マックは**大たん不敵**にも、英国女王の親せきにあたる、とあるまぬけな王族ににせ物の名画を売りつけ、大きなニュースになった。これに激しくおこった女王が、必ずや、ひと月以内に犯人をひっとらえるようスコットランドヤードに命じたものだから、ゴリストレードとフォックソンは、いやいやながらもホームズに協力をたのむことにしたのだった。

ゴリストレードたちからのいらいを受けたホームズが、マッ

縦横無じん——思うぞんぶん行うこと。
変装——別人に見えるよう、身なりや顔つきなどを変えること。
大たん不敵——こわいものがなく、思い切ったことをする様子。度胸がある様子。

クの調査をしたところ、マックの起こすさぎ事件のやり方は、毎回とても**こうみょう**で、手がかりを一切残していないことがわかった。また、今回はロンドン、次はパリと、ひとつのさぎをはたらくとすぐに居場所を移すので、まさに**神出きぼつ**というありさまだった。

さらに利口なことに、マックは１年に１度か２度だけ犯行を行うと、あとは完全に身をひそめてしまうので、警察はよりいっそう、かれの動きをつかむことが難しくなっていた。

そこでホームズは、マックの個人的な背景を調べ始めた。マックの個人的な弱点を見つけられれば、それをえさにかれを**おびき出して**、つかまえることができるだろうと考えたからだ。

数日をかけた調査の末、ホームズは、マックにはケイティというむすめがいることを知った。そして、なんともタイミングの良いことに、ケイティはもうすぐ15歳の誕生日をむかえ、その日には預けられている家でお祝いのパーティーが開かれ

こうみょう——とても上手な様子。
神出きぼつ——神や鬼のように、ひじょうにすばやく現れたり、かくれたりして、いどころがなかなかつかめないこと。
おびき出す——だまして外に出てくるようにする。

ることもわかったのだ。

「おや？　我々の大事なお客さんがとう着したようだぞ」ホームズは、ゆっくりと近づいてくる1両の馬車を、窓ごしに見つめながら言った。

「本当か!?」ゴリストレードとフォックソンも、あわてて窓ぎわにかけ寄った。確かに、1両の馬車が向かいの家の門の前まで来てとまり、その中から、やせて背の高い**しん士**がひとり降りてきた。

「しかし、あれがマックだと断定することはできませんよ。もし人ちがいだったら、何もかも**水のあわ**です」フォックソンが用心深く言った。

「いや、あれはマックだよ」ホームズが断言した。

「なんでそんなにはっきり言えるんだ？」ゴリストレードが聞

しん士——人がらがりっぱで、礼儀正しい、教養のある男子。ジェントルマン。

水のあわ——努力したことがむだになることのたとえ。

いた。

「ほら、見てごらん。あの男は『L&M』という店名の入った紙ぶくろを持っているじゃないか」

「それが何なんです？　持っている紙ぶくろで、あの男の正体がわかるとでも？」フォックソンはホームズの話がまったく理解できなかった。

「おやおや、君たちときたら、子供におもちゃを買ってあげたことはないのかい？『L&M』はぬいぐるみの専門店だよ。紙ぶくろの中身はぬいぐるみにちがいない」ホームズは少しムッとして言った。

　ゴリストレードとフォックソンがあわててよく見てみると、確かに、そのしん士が手にさげている紙ぶくろには「L&M」というマークと、ぬいぐるみのイラストが印刷してあった。どうやら本当にぬいぐるみ専門店の紙ぶくろのようだ。そのしゅん間、ふたりはようやく

ホームズが言っている意味を理解した。

マックはむすめに毎年ぬいぐるみをプレゼントしてきた。ぬいぐるみの入った紙ぶくろを持っているということは、あのしん士がすなわちマックだということを、**間接的**に**証明**しているではないか！

「あいつはまったくセンスがないですねぇ。毎年ぬいぐるみばかりプレゼントするなんて。むすめは今年15歳になるんだから、もうぬいぐるみでなんて遊ばないでしょう？」フォックソンが、ちょっとばかにしたように言った。

「ははは。親の目から見たら、我が子はいくつになっても子供のままなのさ。大さぎ師マックも、**例外**じゃないようだな」ホームズは笑った。

「センスがあろうがなかろうが、これであの男の正体がわかった。つかまえに行くぞ！」ゴリストレードは、指名手配犯がすぐ目の前にいるのを見て、大興奮で手のひらをこすり合わせ、今すぐにも階段を下りていこうとした。

「待ちたまえ！」ホームズがあわてて止めた。「やつはもう庭

間接的——そのものと、じかにではなく、間に何かをはさんでかかわっている様子。
証明——正しいということや事実であることをはっきりさせること。
例外——ふつうの規則やならわしからはずれること。また、そのもの。

に入ってしまった。今動くのはよくない」

「ごちそうがすぐ目の前にあるのに、指をくわえて見てろって言うのか!?」ゴリストレードは言い返した。

「庭にはたくさんの人がいる。もし今つかまえに行って、マックが **ていこう** したら、罪のない人にけがをさせてしまうかもしれない」ホームズが言った。

「じゃあ、どうするんです？」フォックソンが聞いた。

「やつが帰るところをねらおう」ホームズはそう言って、再び道のほうを見やった。「馬車が門の前にとまったまま、やつのもどりを待っている。**長居** をするつもりはないのだろう」

ゴリストレードたちはホームズの言うことにも **一理** あると思い直し、しんぼう強く待つことにした。

ホームズの予想どおり、30分ほどたったころ、しん士はぬいでいたぼうしをかぶりなおし、パーティーに集まった人々にあいさつをした。

ていこう——手むかうこと。さからうこと。
長居——たずねた家などに長くとどまること。
一理——一通りの理由。いちおうのわけ。

「やつが門を出るところを、我々3人で三方向から**包囲**するんだ。絶対ににがさないぞ」ゴリストレードがきん張した**面持ち**で指示した。

3人はすばやく建物の2階からかけ下り、道へ出た。ホームズは道をわたって歩いてゆき、馬車をぐるりと回ってとびらの前に立った。ゴリストレードとフォックソンは、門をはさんだ歩道の左右から、**はさみうち**に回った。

この時、門からしん士が出てきた。かれは、だれかが馬車のとびらの前に**立ちはだかって**いるのを見て、少しおどろいたようだった。だが、すぐに落ち着きを取りもどし、ホームズに向かって言った。「失礼ですが、その馬車に乗りたいのでね。少しどいていただけますか？」

「もちろんです」ホームズは、歩道の左右を指さして言った。「ふたりの警部さんが同意してくださったらね」

包囲——まわりを取り囲むこと。
面持ち——顔つき。表情。
はさみうち——両側からはさむように攻撃すること。
立ちはだかる——人や車の通るところに立って、手足を大きく広げてじゃまをする。

しん士はびっくりぎょうてんし、すきを見てにげ出そうとした。だが、行く手をすべてふさがれ、もうにげ道はなかった。ゴリストレードとフォックソンが、一歩、また一歩としん士に近づいた。ふたりの手には、じゅうがにぎられていた。

もうにげられないと観念したのか、しん士は大きくため息をついて言った。「あなた方はスコットランドヤードの人ですね？　わかりました。いっしょに行きましょう。ですが、どうか、庭にいる人々をおどろかせないでほしいのです。お願いできますか？」

「ヘイヘイヘイ、お前、マックだろ？　お前はもう

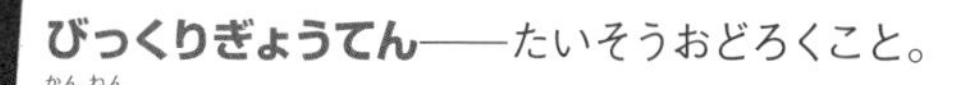

びっくりぎょうてん——たいそうおどろくこと。
観念——あきらめること。かくご。

ふくろのねずみだ。おれたちと交しょうできる立場だと思ってるのか？」ゴリストレードが冷たく笑った。

「まさしく、私がマックです。私は交しょうではなく、お願いをしているのです」

「お願いであれば、聞いてやらんこともないな。お前がおとなしくおなわをちょうだいすれば、中の人たちをおどろかせたりはしないぞ」ゴリストレードは、さらに一歩、マックに近寄った。

「わかりました。ありがとう」

マックは、ゴリストレードに向かって両手を差し出した。

「ガチャリ」と音を立てて、ゴリストレードがマックの両手に手じょうをかけた。

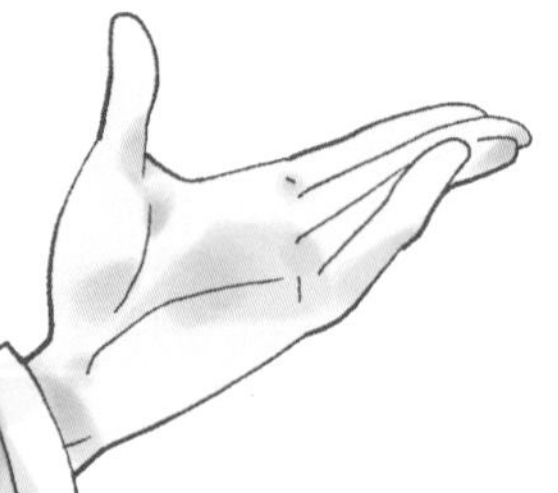

ふくろのねずみ——ねずみが、ふくろに入れられて外に出られないように、追いつめられて、のがれられなくなった様子。

交しょう——あることを相手と話し合うこと。

おなわをちょうだいする——罪を犯した人がたいほされる。

この時、ぬいぐるみを胸にだいた少女がひとり、不意に庭から飛び出してきた。少女はマックの前にかけ寄ると、タバコの箱を差し出した。

「おじさん、忘れ物……」

そこまで言って、少女は言葉を続けることができなくなった。タバコを差し出した手もそのまま止まった。少女がひどくおどろいた表情で、マックの両手にかけられた手じょうを見つめていることに、ホームズは気がついた。

「わははは！　ばかなむすめだ。かんごくの中ではタバコは禁止だ。こいつはおれが預かっといてやる」

ゴリストレードは少女の手からタバコをぱっとうばうと、得意満面で言った。

「それにな、こいつはおじさんじゃない、お前の実の父親だ。何度も罪を重ねてきたさぎ師だがな！」

なんということだ！　ホームズが止めようとした時にはもう遅かった。うぬぼれやのゴ

得意満面——得意でたまらない気持ちが、顔じゅうにあらわれている様子。

リストレードが、得意になるあまり、**軽はずみ**にも、むすめの目の前で父親の正体をばらしてしまったのだ！

少女は**ぼうぜん**としたまま顔を上げ、マックを見た。少女の手から力がぬけ、胸にだいていたぬいぐるみが落ちて、音もなく地面に転がった。

軽はずみ——深く考えずにものを言ったり、したりすること。
ぼうぜん——気がぬけて、ぼんやりとする様子。

2 うできさのさぎ師

「外は真っ暗で、何も見えないね」列車の窓ぎわの席に座るワトソンが言った。
「うん。夜行列車はこれだからつまらないな。明るい時間ならば、窓から一面の美しい銀世界が見られたはずなのに。昨夜は大雪だったけど、今朝にはもうきれいに晴れていた。夜と朝の気温差は十数度もあったそうだよ。最近の気候はなんだかおかしいな」ホームズが言った。
「そう言えば、フォックソンの電報にあった、だつごくしゅうのマックのことを、君はよく知っているのかい？」ワトソンが聞いた。
　ホームズは目を閉じ、後かいとなつかしさの混じった口調で言った。「マックはさぎの達人で、もっぱらゆう福な人たちをだましていた。でも、かれは“血を流さずにえものをとる”ことを信条にしていた。つまり、頭脳を使って金や財宝をだまし取るけれど、決して暴力はふる

後かい——自分がしてしまったことを後で残念に思うこと。
ゆう福——くらしがゆたかで楽なこと。

わないんだ。しかも、貧しい人からはうばわない。良心のあるさぎ師というところだね」
「そうなのか。でも、君は今までぼくにマックのことを話したことはなかったね」ワトソンはちょっと不思議に思って言った。
「少々**ふゆかい**なことがあったからね。あまり話したくはなかったのさ」
「何があったんだい？」ワトソンがたずねた。
「あのころ、どの国の警察もマックには完全にお手上げだった。最後にはゴリストレードたちと協力して、どうにかこうにか、かれをつかまえることができたんだが、その時に我々は決して許されない**過ち**を犯してしまったんだよ」ホームズは、残念そうに言った。
「許されない過ち？」
「そうだ。罪のない少女を傷つけてしまったんだ」
「え？」
　ホームズは指でまゆとまゆとの間をもみながら、にがにがしい口調で言った。「当時、私はあれこれ手をつくしてマックの身の上や背景を探り、かれがケイティというむすめを友人に預けていることをつきとめた。我々は、ケイティの15歳

ふゆかい――いやな気持ちがすること。不快。
過ち――ついうっかりして犯した罪。過失。

の誕生日に、マックが現れるのを待ちぶせしていたんだ……」

ホームズは**感がい**深そうに、その時のことをワトソンにくわしく話して聞かせた。

「……そんなことがあったのか」

ワトソンは思わずため息をつき、そしてゴリストレードの思いやりのなさに、**いきどおり**を感じた。

感がい——心にしみじみと感じること。
いきどおり——腹を立てること。

ホームズはワトソンのほうをふり向き、つらそうな表情で言った。

「ケイティは、マックが自分の父親だとは知らなかったんだ。その父親がさぎ師だったことはなおさらだ。本当のことを知った時、ケイティはぼうぜんとしていたよ。聞くところによると、その後まるまる1年間、だれとも口をきかなかったそうだ。きっとかなりのショックを受けて、深く傷ついたんだろう。でも、私が前もってゴリストレードとよく話し合っておけば、こんなことが起こるのをさけられたはずなんだ」

なるほど、ホームズが自分を責めるのももっともだ——。ワトソンは心の中で思った。

「その後、私は**かんごく**の中にいるマックに手紙を書き、むすめさんの心を傷つけてしまったことを謝った」

ホームズが続けた。

「ほう……」

「しばらくしてマックから来た返事には、気にしないでほしいと書いてあっ

かんごく——けい務所のむかしのよび名。ろう屋。

た。『つかまってしまったのは、プロのさぎ師として技量が足りなかったからだ。いさぎよく負けを認める。かんごくで、しばらくけいに服するのも悪くない。今までのことをよくよく反省し、新しく人生をやり直す良い機会だ』——ともね」ホームズが言った。

「でも、今回だつごくしたところを見ると、反省なんかしてないんじゃないかい？」

「いや、マックはあと1年でかんごくを出られることになっていたんだ。だつごくしてつかまったら、少なくとも5年はけい期がのびるだろう。代しょうが

代しょう——あるものを得るためにはらう犠牲。

大きすぎると思わないか？　**でもかれには、どうしてもだつごくしなければならない、やむをえない事情があったんだよ」**

「何だって？　もう調べたのか？」

「フォックソンからの電報を受け取った後、すぐに調査したのさ。でも、まだくわしいことは言えない」

　ワトソンはじろっとホームズをにらんだ。

「また、**もったいをつけて**いるのかい？」

「もったいをつけているんじゃないよ。君が、私といっしょに法を破らないようにしているだけさ」

「またそれか。前にもいっしょに法を破ったことがあるじゃないか。だけど今回はだつごくしゅうをつかまえに行くんだ。それがなぜ法を破ることになるんだい？」

　ワトソンが不満そうに言った。

　ホームズは頭をふって言った。「そのとおり。今回はゴリストレードたちに協力して、だつごくしゅうを追跡する。一方、私にはもうひとつ別の計画もある。その計画というのは、たぶん法に反するものなんだよ。この計画を君に話して、協力してもらったら、君も**共犯**者ということになる」

やむをえない——どうにもしようがない。しかたがない。
もったいをつける——必要もないのに、えらそうで、ものものしい様子をする。
共犯——ふたり以上の者がいっしょに罪を犯すこと。

「そんなの平気さ」

「この前みたいな

じゃないんだ」

「おどかすなよ」

「本気で言ってるんだ」

「そんなに重大なことなのかい？」

「とてもね」

「ばれたらかんごくに
入れられるくらい？」

「まさに」

「ほ、ほんとに？」

「それでも聞きたいかね？
私の計画というのは……」

「待て！　言わなくていい！
かんごくに入るのはごめんだよ！」

ワトソンはあわててホームズを止めた。

悪ふざけ——度をこしてふざけること。

「ふふふ。わかっただろう？
だから言わなかったんだ」

ホームズはにやりと笑った。

秘密の計画は知りたいけれど、かんごくに入りたくはない。
ワトソンはじれったそうにホームズに言った。

「じゃあ、何で今回の調査に
ぼくをいっしょに連れてきたのさ？」

「君に後から文句を言われない
ようにだよ」

「どういうことだい？」

「知ってるかね？　我々がこれから行くかんごくは、別名『鉄ぺき』と呼ばれているんだ。重罪人たちを集めて収容しているかんごくだから、高いへいに囲まれ、警備もとても厳しい。そこからだつごくするのは至難のわざだ。マックはきっと、とてもこうみょうな方法でだつごくしたにちがいない」

ホームズはここで言葉を区切り、ちらりとワトソンを見た。

鉄ぺき——かたい守り。
至難——たいそう難しいこと。

「その方法を知るチャンスを、のがしたくはないだろう？」

　ワトソンは痛いところをつかれ、**しぶしぶ**同意した。ホームズの話から推測するに、マックというのはこの上なく頭のいいさぎ師らしい。そんなマックとホームズのちえ比べは、きっとすばらしい**頭脳**対決になるだろう。こんなおもしろそうな事件を見のがしたら、もちろん文句を言いたくなるに決まっている。

「マックか……。フフフ……」ホームズは座席の背にもたれて目を閉じ、つぶやいた。どうやらかれの心はすでに雪山をこえ、「鉄ぺき」と呼ばれるかんごくまで飛んでいってしまったらしい。

　その様子を見て、ワトソンは期待で胸をふくらませた。

しぶしぶ——いやいやながら。しかたなく。
頭脳——頭のはたらき。考える力。

——マックとは、いったいどんな人物なのだろう。そして、どんな**手口**で「鉄ぺき」の高いへいを乗りこえ、だつごくすることができたのだろうか？

手口——悪いことをするやり方。

3 「鉄ぺき」かんごく

夜行列車は**雪景色**の中を飛ぶように走った。長い長いトンネルをぬけて、かんごくに一番近い村の鉄道駅に着いた時には、もう朝になっていた。

ふたりは汽車を降りて馬車に乗り換え、**くねくね**した山道を3時間かけて登り、ようやく「鉄ぺき」と呼ばれるかんごくにとう着した。

かんごくの門のところで、制服を着たひとりの太っちょ

雪景色——雪が一面に降り積もって、真っ白になった景色。
くねくね——何度も曲がりくねる様子。

が**そわそわ**しながら待ちかまえていた。馬車がとう着したのを見ると、すぐにかけ寄ってきてたずねた。

「ホームズさんとワトソン先生ですね？」

「私はホームズ、こちらはワトソン君です」ホームズが自己紹介をした。

「ああ、良かった！　もうここで何時間もお待ちしていたんですよ。私はここの所長の**ポーリー**です」太っちょはホームズにつめ寄り、その手をしっかりとにぎって言った。

そわそわ——気持ちや態度が落ち着かない様子。

ポーリー所長にともなわれ、ホームズとワトソンは分厚い鉄のとびらのある入り口を通って、かんごくの中に入った。かんごくは、全体を高いへいでぐるりと取り囲まれていた。そうとう長いはしごがなければ、このへいを乗りこえるのは不可能なように見えた。

「正面にあるのが、しゅう人たちを収容している建物です。だつごくしたマックをふくめると、49人のしゅう人がいます」ポーリーが説明した。

「マックはあの建物からとうぼうしたのですか？」ホームズがたずねた。

「いえ、そうではなく、**あそこにある独ぼうからにげたのです**」ポーリーは左手にある石造りの小屋を指さして言った。

とう亡——犯人などがにげていなくなること。

「独ぼう？　マックは何をしたのです？」

ワトソンが聞いた。独ぼうというのは、かんごくの中で問題を起こしたしゅう人を、**ちょうばつ**のためにひとりで閉じこめておく部屋のことだからだ。

「かれはおとといの夕方、ほかのしゅう人とけんかをして、相手の歯を2本折ったのです」ポーリーが言った。

それを聞いたホームズは不思議に思って言った。「マックは暴力を好まない人間のはずですが？」

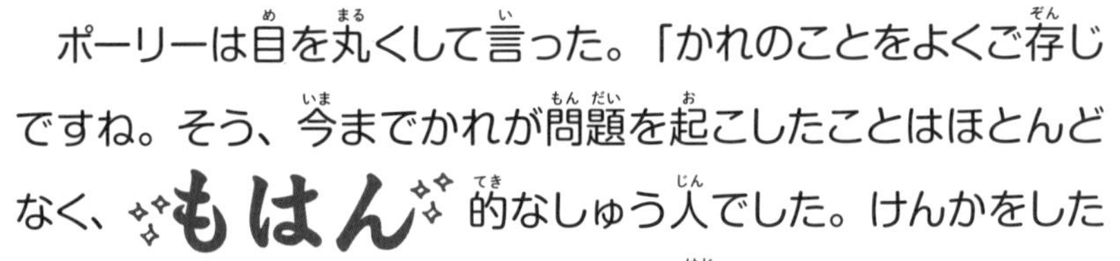

ポーリーは目を丸くして言った。「かれのことをよくご存じですね。そう、今までかれが問題を起こしたことはほとんどなく、**もはん**的なしゅう人でした。けんかをしたのは、おとといが初めてです」

「けんかの原因は？」

「さざいな言い争いがきっかけのようです」ポーリーが言った。

ちょうばつ——こらしめのために、悪いことをした人にばつを加えること。
もはん——手本となるもの。

「しかし、マックはずいぶん度胸がありますな。有名なきょう悪犯のスカーフェイスをなぐったんですから。しかも、何人もの看守のいる目の前で堂々と」

「マックは思りょ深い人間だ。わけもなくそんなことをするだろうか？」

「そうなんです。我々もどうにも納得できないのです。スカーフェイスは終身けいの殺人犯です。もう15年以上ここにいて、しゅう人たちのボスのような存在になり、みんなからおそれられています。そんな相手とけんかをするなんて……」

ホームズは何かひらめいたように聞いた。

「このかんごくに、独ぼうはいくつありますか？」

「あのひとつだけです」

「ということは、**これはきっと計画的な行動でしょう。看守の目の前でけんか**

度胸——物ごとにおそれない心。
きょう悪——ひどく悪く、むごい様子。
思りょ——注意深く考えること。
ひらめく——思いつきなどが、とつぜん心にうかぶ。
計画的——前もってやり方などを考えてある様子。

をしたのは、スカーフェイスから反げきされないように、つまり自分を守るためにです」ホームズが分せきした。「**もちろん、本当の目的はちょうばつを受けて、独ぼうに入れられることですがね**」

ポーリー所長は少しの間考えていたが、ようやく理解したように言った。「つまり独ぼうに入れば、だつごくする時、ほかのしゅう人に見つからないですむ、ということですか」

「そうです」ホームズが言った。「どうやら独ぼうは、ふつうのしゅう人部屋よりもぬけ出しやすかったようですね。そうでなければマックはこんなことをしないでしょう」

「そんなはずはありません！」ポーリー所長がすぐに

した。

否定――そうでないと打ち消すこと。

「独ぼうは、窓の鉄ごうしも、鉄のとびらも、ほかの部屋よりがんじょうに造られています。**ところが、窓もとびらもこわされていなかったのに、なぜか中にいたマックが消えてしまったのです**」

「それはきみょうですね。ではその独ぼうを見に行ってみましょう」ホームズはくちびるのはしに笑みをうかべて言った。どうやら、かれの頭の中の機械が、もうスピードで回り出したようだ。

「こちらへどうぞ」ポーリー所長がホームズとワトソンを独ぼうへ案内した。

ホームズたちが独ぼうの小屋に入ると、スコットランドヤードから来たいつものふたり組が、ゆかにしゃがみこんであれ

鉄ごうし——鉄棒を縦横に組んだもの。また、それを取りつけた戸や窓。
きみょう——ふつうでは考えられないような、めずらしい様子。不思議。

これ調べているところだった。「これだけくまなく調べても、やつがいったいどこからにげたのか、さっぱりわからないな」フォックソンがしゃがんだままぶつぶつつぶやいた。

「丸一日かけて調べても、何も発見できないのかね？」

ホームズが声をかけた。

「ああ、ホームズさん、よく来てくれました」

フォックソンがふり向いてあいさつをした。

ゴリストレードはホームズのほうをちらっと見て、冷たく言った。

「誤解するなよ。今回は助けを求めたんじゃない。マックをたいほする時にあんたもいっしょにいたから、やつがにげたことは、あんたにも知らせておいたほうがいいかと思ってな」

ワトソンは心の中で思った。ゴリストレードはいつもこうだ。自分の体面ばかり考えている。明らかに、助けてもらいたくてホームズを呼んだのに、絶対にそれを認めないのだから。

ホームズはそんなことは少しも気にしていない

誤解――意味をまちがって受け取ること。思いちがい。
たいほ――警察が罪を犯した人や、疑いのある人をつかまえること。
体面――世の中の人の目に、自分が、その立場にふさわしくうつっているかどうかということ。ていさい。世間体。

かのように、笑って言った。「ハハハ、お気づかいをありがとう。あの大さぎ師のマックには、もう何年も会っていない。今回の件は、旧交を温める良い機会になりそうだからね」

ポーリー所長が目を大きく見開いて聞いた。

「ということは、かれをつかまえる自信があるんですね？」

ホームズが口を開く前に、ゴリストレードが横から口を出した。「当たり前だろ！　おれたちはとっても有能なんだぞ！」

ワトソンはゴリストレードが調子に乗っているのを見ていられなくなり、つい、口をはさんでしまった。

「じゃあ、マックはどうやってここからぬけ出したんだい？」

ゴリストレードはあらかじめ答えを用意していたようで、自信満々にこう言った。「水ももらさぬほど厳重

旧交を温める——とだえていた付き合いを、よみがえらせる。
有能——才能があること。役に立つこと。
口をはさむ——他人の話に割りこんで話す。
水ももらさぬ——1てきの水ももれないほど、すき間なく完全なこと。

な**警かい**のこの場所から、マックひとりの力でだっ出することは不可能だろう。だから、**可能性はふたつだ！**」

「えっ!?」

フォックソンはびっくりぎょうてんした。まさか、自分が**手がかり**ひとつ見つけられずにいるうちに、ゴリストレードがすでになぞを解いていたなんて！　ワトソンとポーリー所長も意外な面持ちで、ゴリストレードの説明を待った。

みんなのおどろいた顔を見て、ゴリストレードはますます得意になり、立てた人差し指をワトソンの顔の前でふって言った。「**ひとつ目の可能性は……、マックははじめから独ぼうの中にいなかったのだ！**」

警かい――悪いことが起きないよう用心すること。

手がかり――きっかけ。手ずる。糸口。

「えぇ!?　それはありえませんよ！」ポーリー所長があわてて否定した。「私はこの目で、かれがこの部屋に入れられるのを見たんですから！」

「おや？　そうか？　じゃあ……」ゴリストレードはにやにやしながらポーリー所長のほうに歩み寄ると、いきなり態度を変えてどなった。

「ふたつ目の可能性はお前だ！　お前がマックに力を貸して、やつをにがしたんだ！」

ポーリー所長はおどろいて、2、3歩後ずさり、びくびくしながら言った。

「そ、そんなこと、考えたこともないですよ」

ゴリストレードは相手が**たじたじ**となったところを見のがさず、さらに一歩一歩、ポーリー所長につめ寄っ

たじたじ――相手の勢いに負けそうになる様子。たじろぐ様子。

た。「この独ぼうのカギを持っているのはだれだ？　お前だろ？　マックに買収されて、やつをにがしたんだろう？」

「そんなことしてませんよ！」ポーリー所長は真っ青な顔をして、必死に反論しようとした。

「マックはここからぬけ出したのさ」

不意に、みんなの背後から声がひびいた。

みんながふり返ると、窓のそばに立ったホームズが、窓の鉄ごうしを指さしていた。

「ホームズ、あんた、目が悪いんじゃないのか？　ねずみでもないのに、マックがこの鉄ごうしのすき間をすりぬけられるわけないだろ？」

ゴリストレードが、歯をむき出して反論した。

「ハハハ。確かにせまいけれど、こうすれば、人ひとりぐらいは通れるよ」そう言いながら、ホームズは窓の鉄ご

買収——人にこっそりお金や品物をやって、味方に引き入れること。
反論——相手の意見に反対して言い返すこと。

うしの棒を1本にぎり、力いっぱい引っ張った。

「**ボキッ!**」という音とともに、鉄ごうしの棒が根元から折れた。

「**ええっ!**」

全員**あっけにとられ**、しばらくの間、だれも口がきけなかった。ゴリストレードはおどろきのあまり、目ん玉が落っこちそうになるくらい、大きく両目を見開いた。

「いったいどうやったんですか?」ポーリー所長がたずねた。

ホームズはそれには答えず、折った鉄の棒のにおいをくんくんかいで、言った。

「マックは**ちゅうぼう**で働いていましたね。それに、この独ぼうにもよく出入りしていたでしょう」

「どうしてわかるんです?」ポーリー所長は、わけがわからないという顔をして言った。

「かれはちゅうぼうで、しゅう人たちの食事を作る仕事をしていました。それに、独ぼうのそうじ担当も。かれは規則を

あっけにとられる——思いがけないことにおどろきあきれて、ぼんやりする。
ちゅうぼう——台所。調理場。

よく守り、看守の指示に従うもはん的なしゅう人だったので、そういう仕事を割り当てられていたのです」

「ふふふ、なるほど。だからマックは、この鉄ごうしを味方にすることができたんです」ホームズは笑った。

「でも、ちゅうぼうと鉄ごうしに何の関係が？」ポーリー所長が聞いた。

「ごらんなさい」ホームズは折れた鉄の棒のはしを指さして言った。「**鉄ごうしの棒はすべてこの部分がさびています。これは明らかに、塩水をぬったことによるものです。**そして、このかんごくで塩がある場所といえば、ちゅうぼうでしょう」

「さっき、においをかいでいたのは、塩水のにおいを確認していたんですか？」フォックソンがたずねた。

「いや、おしっこのにおいがしないかと思ってね」ホームズが答えた。

「おしっこのにおい？」フォックソンは変な顔をした。

「そう。おしっこをかけても、同じように鉄ごうしをさびさせ

看守——けい務所に入れられている人の見張りをする人。けい務官。
さびる——さびが出る。
塩水——塩分をふくんだ水。また、食塩をとかした水。
おしっこ——体の中のいらなくなった水分や物質が、ぼうこうを通って体外に出されたもの。小便。尿。

ることができる。だが、マックはそうはしなかった。塩が簡単に手に入るのだから、おしっこを使う必要はなかったのだよ」

「なるほど」ワトソンははっと気がついた。「**マックは長い年月をかけて、ちゅうぼうから少しずつ塩をぬすみ出し、それをつばでとかして、鉄ごうしの鉄棒と窓わくとの接合部分にぬりつけていた**ということだね」

「4年という時間をかけて鉄をさびさせ、おとといの夜、とうとう鉄の棒を折り取ったということですか……」ポーリー所長が感心したように頭をふって言った。「なんてねばり強いんだろう」

「おい！ 感心してる場合じゃないぞ！」ゴリストレードがポーリー所長をどなりつけた。「お前がやつをちゃんと見張っていれば、やつが塩をぬすむことも、それをこっそり鉄ごうしにぬりつけることもできなかったはずだ！」

「そ、それは……」ポーリー所長は言葉につまった。

「それは、どうだってんだ？

つば――口の中に出てくる消化液。つばき。だえき。
ねばり強い――根気が強い。
感心――りっぱだとか、えらいとかを心に深く感じること。

しかも4年だぞ！　まるまる4年の間、やつのだつごく計画を見ぬけなかったなんて、お前らいったい何してたんだ？　まったくの**まぬけ**じゃないか！」

興奮したゴリストレードのどなり声は、どんどん大きくなった。だが、そういうゴリストレードだって、鉄ごうしの棒が簡単に折れることを発見できなかったのだから、ポーリー所長と**五十歩百歩**だ。

「マックは、だつごくの準備がばれないよう、うまく**細工**をしていたんだよ。ほら、鉄ごうしのはしにどろがついている。かれはさびた部分をどろでかくして、看守に見つからないようにしていたんだ」

ホームズがポーリー所長に**助け船**を出した。

フォックソンも、さすがにゴリストレードは言い過ぎだと思ったようで、あわてて話題をかえた。

「ほら、ここはもう終わりにして、次はへいのところへ行きましょう。あっちにも、解決できていない**なぞ**が

まぬけ——ぼんやりしていて、おろかなこと。また、そういう人。
五十歩百歩——大きなちがいがあるようでも、本当はあまりちがわないこと。似たり寄ったり。
細工——ごまかすために、くふうすること。
助け船——こまっている人を助けること。
なぞ——人間のちえでははかり知れない、不思議なこと。

残っていますよ」

ポーリー所長はほっと一息つくと、かんごくを取り巻く外べいのほうにみんなを連れていった。

ホームズとワトソンが近づいていくと、へいの下の雪の上に、**こぶし**大の何かがいくつか落ちていた。

「布きれを丸めたものです」ホームズの質問を待たず、ポーリー所長が言った。

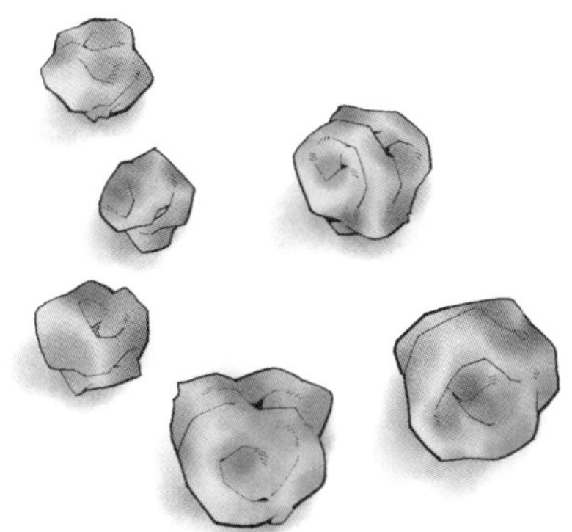

「全部で6個。しゅう人たちが使うかけぶとんカバーを引きさいたもののようですよ」フォックソンが補足した。

ホームズは落ちている布きれの前にしゃがみこみ、それをよく**観察**した。そして頭を上げて外べいを見て、

こぶし——手の指を折り曲げて、にぎりかためたもの。げんこつ。
観察——物ごとを注意してよく見ること。

質問した。

「このへいの高さは？」

　ポーリー所長が答えた。「**6メートルはあります**」

「おかしなやつだなぁ。マックはなんでふとんカバーを引きさいたんだろう？　だつごくの方法と関係あるのかな」フォックソンが言った。

「フン！　布きれがだつごくと関係あるわけないだろ。そう査をかく乱しようと、やつがわざとやったのさ」ゴリストレードは見下したように言った。

「うむ……」ホームズはしばし考えてから言った。「一見すると、布きれとだつごくに関係はないように見える。しかし、マックは頭の切れる人間だ。ここに布が落ちているということは、きっと何か特別な理由があるはずだよ」

この時、看守の**ヤセザル**が、息を切らせながら走ってきた。

「報告いたします！　へいの外で、こんなものを発見しました」

そう言いながら、ヤセザル看守は**1個のうす焼きパン**と、**30センチくらいの長さのぼろきれ**を差し出した。

「おかしいな？　昨日はこんなもの見つからなかったのに」フォックソンが不思議そうに言った。

「もともと雪にうもれていたのですが、今日は暖かかったの

そう査——主に警察などが、犯人や証拠を探し調べること。訪ね探すこと。
かく乱——かき乱すこと。

で、雪がとけて出てきたようです」ヤセザル看守が言った。
「このうす焼きパンは、しゅう人たちのおとといの昼ごはんだし、ぼろきれは、落ちていた布と同じく、かけぶとんカバーをさいたものだ。どうしてへいの外に落ちていたんだろう？」ポーリー所長は**独り言**のようにつぶやいた。
「きっと、マックがへいから飛び降りる時、**うっかり**落としたのでしょう」フォックソンが言った。
「ぼろきれはともかく、パンはありえませんよ」ポーリー所長はすぐに否定した。
「しゅう人たちがもらえるうす焼きパンは、ひとり1個きりです。しかも、看守の見ている前で全部食べ終えなくてはならない。マックがパンを余分に1個取っておくことはできなかったはずです」

「ばかもの！」ゴリストレードがまたどなった。「お前はさっき、マックはちゅうぼうで働いていたと言ったではないか。パンをこっそり1個**ぬすむ**くらい、簡単なことだろ？」
「それも……、難しいんですよ」ポー

独り言——相手がいないのに、ひとりでしゃべること。また、その言葉。
うっかり——不注意に。つい。
ぬすむ——人の物をこっそりとる。

リー所長はびくびくしながら言った。

「マックは確かに、うす焼きパンを焼く担当をしていました。でも、パンを焼くための粉などの材料は、看守が毎回1回分をきっちり量って、マックにわたしていたのです。パンを作る間も、ずっと看守がかん視していたはずです」

「はい。おとといは私がちゅうぼうのかん視をしていました。まちがいありません」ヤセザル看守が言った。

ホームズはぼろきれをじっと見つめていたが、なぞを解くヒントが見つけられないようで、頭を上げて言った。

「ちゅうぼうを見てみましょうか」

「いいですよ」ポーリー所長はそう言うと、みんなを連れてへいのところからはなれた。

少し歩くと、運動場で何十人かのしゅう人たちが、退くつそうにぶらぶらしているのが見えた。

「ちょうど運動の時間で、しゅう人たちが外に出て日光浴をしているのです」ポーリー所長が言った。

かん視——気をつけて見守ること。見張り。
退くつ——つまらないこと。おもしろくないこと。
日光浴——日光を浴びること。

しゅう人たちの中のある一群が、ホームズたちをじっとりとにらみつけているのに気づいて、ホームズが言った。「どうやら、我々はあまり**かんげい**されていないようですね」

「ああ、あの者たちのことですね？」

ポーリー所長も、かれらの**悪意**のこもった視線に気がついて言った。「あそこにいる体のでかい男が、マックに歯を折られた**スカーフェイス**ですよ」

ホームズがもう一度そちらに目を向けると、ちょうどその大男と目が合った。それは感情がなく、人に深い**きょうふ**をおぼえさせる目だった。こういう目を持った人間は、ま

かんげい——よろこんでむかえること。
悪意——人をにくむ気持ち。
きょうふ——おそれること。こわがること。

ばたきひとつせずに人を殺すことを、ホームズは知っていた。マックはなぜ、こんなおそろしい大男にけんかをふっかけたのだろう？　独ぼうに入るという目的を達成するだけなら、もっと弱々しいしゅう人を選んでもよかったのではないか？　――ホームズは不思議に思った。

「おいおいおい、何を話してるんだ？　早くちゅうぼうに行こうぜ」ゴリストレードが面倒くさそうに言った。

「何でもないよ」ホームズは、この疑問はとりあえずおいておくことにして、その場を去ろうとした。

ところがこの時、運動場の片すみに**水道**があり、**そのじゃ口から水がぽたぽたと垂れているのが目に入った**。不意に、ホームズの頭にもうひとつの疑問がうかんだ。かれはたずねた。「この水道のじゃ口は、マックがとう亡したお

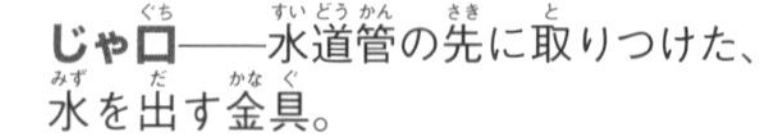

じゃ口――水道管の先に取りつけた、水を出す金具。

とといもずっとこうして開けてありましたか？」

「はい、おとといの夜は大雪でしたから、水道管がこおらないように、じゃ口を開けて、少しだけ水を出したままにしてありました。おとといは朝から雪が降っていましたが、

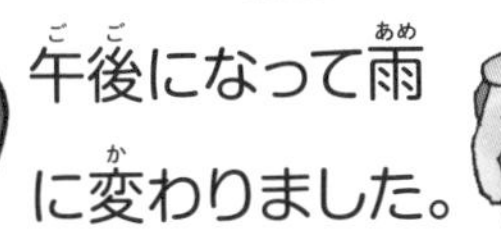

午後になって雨に変わりました。屋上やへいの上に積もっていた雪も、それでだいぶとけました。でも、雨が止んだ後、気温が急に下がって、また大雪が降り出したのです」ヤセザル看守が説明した。

ホームズは目をきらりと光らせ、再び聞いた。

「おとといの夜は、それからずっと雪が降っていたのですか？　気温はだいたい何度くらいだったでしょう？」

ポーリー所長は少し考えながら言った。「夜中にトイレに行った時、雪はまだ降っていましたね。トイレの前に置いてあるたらいの水もこおっていましたから、たぶん、

気温――空気の温度。ふつう、日かげで、地上1.5メートル付近の温度をいう。
たらい――湯や水を入れ、せんたくなどをする平たいおけ。

れい下 10度以下だったのではないでしょうか。しかし、朝起きた時にはもうよく晴れていて、気温も5度か6度に上がっていました」

「なるほど。おとといの雨の後、気温が急激に下がったということであれば、**あのへいの表面は、夜にはこおっていたでしょうね？**」ホームズはへいを指さして言った。

「そうですね。昨日の朝にはすべてとけてしまいましたが」ヤセザルが答えた。

「何か気がついたのかね？」

ワトソンは、ホームズがきっと何かを発見したのだとわかった。

「もちろんさ」ホームズがきっぱりと言った。「まちがいなく、マックはあのへいを乗りこえてだつごくしたんだよ。**天気が、かれを手助けしたのさ！**」

ワトソンもほかの人も、これを聞いてびっくりしたが、ホームズの言っていることの意味がさっぱりわからなかった。

れい下——0度より低い温度。
手助け——人の仕事などを助けること。手伝い。

ポーリー所長が聞いた。「天気がどうやってマックを手助けしたのでしょう？　説明していただけませんか？」

ホームズはかすかに笑みをうかべたが、その問いには答えず、こう言った。
「ちゅうぼうを見てからにしましょう。へいの外に落ちていたうす焼きパンのなぞについては、まだわかっていないのです」

4　50個目のうす焼きパン

ホームズがなぞについて説明してくれないので、みんなは頭の中に大きなクエスチョンマークをうかべたまま、ちゅうぼうにやってきた。

ヤセザル看守が、金属でできた大きな正方形の焼き型をオーブンの中から取り出して説明した。

「うす焼きパンは、これを使って焼きます」

ホームズはちらっと焼き型を見て言った。「作り方を説明してもらえますか？」

「私たちはだつごくしゅうをつかまえに来たんですよ。パンの作り方を習いに来たんじゃありません」フォックソンはいらいらしながら言った。

「いいや！」ゴリストレードがめ

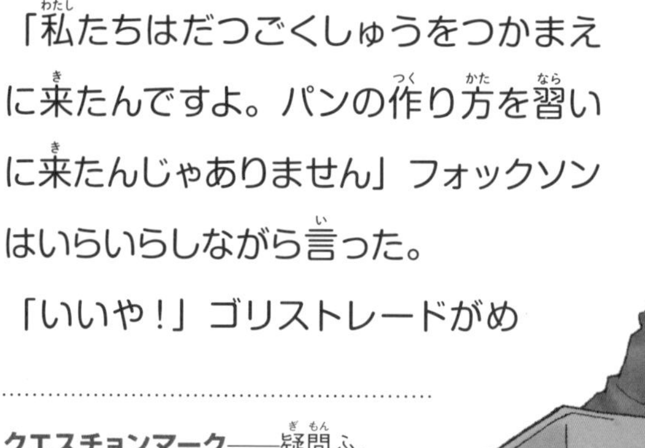

クエスチョンマーク——疑問ふ。疑問を表す「？」の記号。

金属——金、銀、銅、鉄、水銀などのなかまの元素。また、それらの合金。熱や電気をよく伝える。

ずらしくホームズの**かたを持ち**、何かを理解したような口調で言った。「おれはようやくわかったぞ。へいの外に落ちていたうす焼きパンの**出どころ**を知ることが、マックの行方を知る手がかりになるんだ」

本当にわかっているのか**あやしい**ものだ、と思いながら、ワトソンはその言葉を聞いていた。

ヤセザル看守は、うす焼きパンの作り方を一気に説明した。

かたを持つ——ひいきする。
出どころ——物ごとが出てくる、もとのところ。
あやしい——本当かどうか疑わしい。

❶小麦粉とベーキングパウダーと水を混ぜ合わせ、よくこねてパン生地を作る。

❷焼き型の内側にバターをぬり、生地が焼き型にくっつかないようにする。

❸パン生地を焼き型に入れ、平らにならす。オーブンに入れて30分焼く。

❹一度、焼き型を取り出し、パン生地の上にチーズをまんべんなくのせ、オーブンにもどしてもう10分ほど焼けば、できあがり。

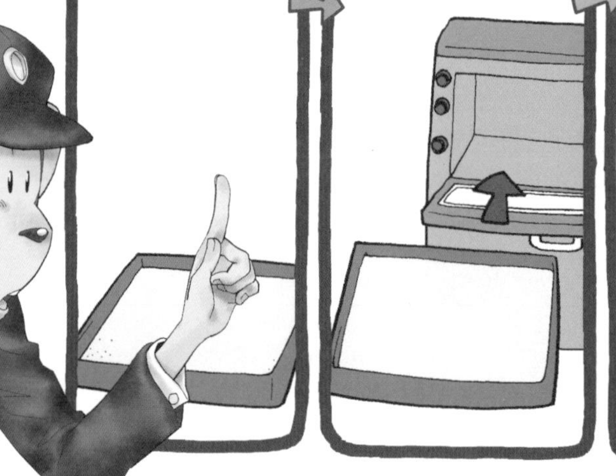

小麦粉——小麦の実を粉にしたもの。パン、菓子、うどんなどの材料になる。メリケン粉。

ベーキングパウダー——パンやビスケットなどの生地をふくらませるための粉。ふくらし粉。

生地——パンやめん類などのもととなる、粉と水分などを混ぜてねったもの。

「焼き上がった後、どう切り分けるのですか？」ホームズが聞いた。

「簡単ですよ。この焼き型は、**縦105センチ、横105センチ**の大きさです。縦、横、それぞれ**15センチごと**にナイフを入れて7段に切れば、**7×7=49で、49個に切り分けられます。**ここのしゅう人は49人いますから、ちょうどの数ですよ」ヤセザル看守が説明した。

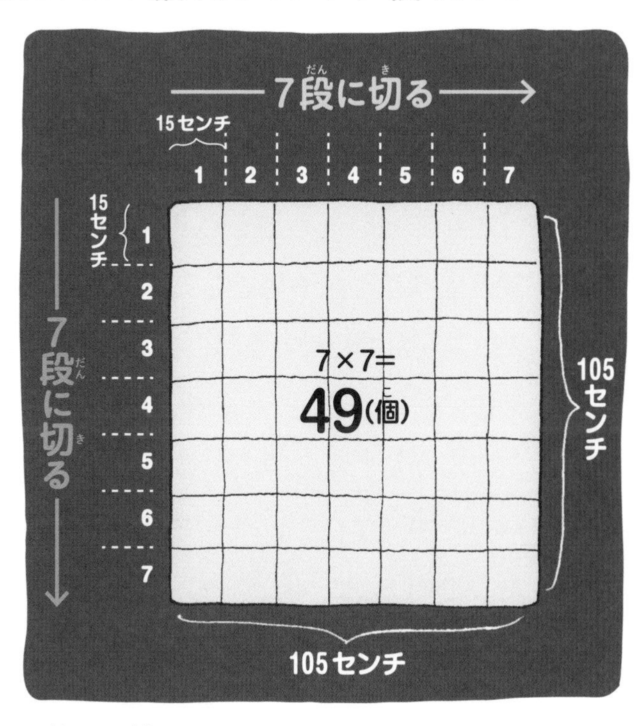

「切り分けは、必ず**均等**にしなければなりません。以前、切り分けに失敗して1個1個のパンの大きさに差が出てしまった時には、危うくしゅう人たちが**暴動**を起こすところでした」ポーリー所長が付け加えた。

均等——差がなく、等しい様子。
暴動——多くの人が集まって乱暴し、世の中を乱すこと。

「それなら、マックがパンを1個ぬすみ出すのは**不可能**ではないですか」ワトソンが言った。

「わははは、おれの**推理**は正しかったのだ！」

ゴリストレードが興奮してさけんだ。

「推理とは？」ヤセザル看守が聞いた。

「まだわからんのか？」ゴリストレードは自信満々に言った。

「もしちゅうぼうからうす焼きパンをぬすみ出すことが不可能なら、あのパンは、マックがだつごくする時に落としたものではないということだ。つまり、マックはまだこのかんごくの中にいる。あのパンは、やつの仲間がわざとへいの外に落としておいて、マックがもうだつごくしたと**見せかけ**ようとしたんだろう」

「でも、マックはなぜそんなことを？」ポーリー所長が聞いた。

「ばかもの！　我々が全員でマックを追ってかんごくを留守にしたすきを見て、それからだつごくするつもりなのだ！」

不可能——できないこと。
推理——わかっていることがらをもとにして、まだわかっていないことがらを、推し量ること。
見せかける——実際はちがっているのに、うわべをつくろって見せる。

「なるほど。そんなこと思いつきもしませんでした」ポーリー所長がはっとしたように言った。

「わははは！　お前らとは頭の作りがちがうのだよ」ゴリストレードがじまんげに言った。

「いや、**へいの外に落ちていたのは、焼き型から切り取った、50個目のうす焼きパンだよ。**マックがうっかり落としたのさ。そして、へいの内側に落ちていた6個の丸めた布きれは、**かれがとっくにへいを乗りこえてだつごくしたことを証明している**」ホームズは自信をもってそう言い切った。

「焼き型の中のパンは49個にしか切り分けられないし、自分のパンは看守の目の前で全部食べなければいけないんだよ。50個目のパンはどこから出てきたんだい？」ワトソンが聞いた。

ホームズは笑って、ヤセザル看守にたずねた。「さっき拾ったうす焼きパンはどこに？」

「これです」ヤセザル看守はパンをホームズに手わたした。

「あなたはマックがパンを焼いている間、ちゅうぼうをはなれませんでしたか？」

はっと――急に気がつく様子。
とっくに――ずっと前。

ヤセザル看守はびっくりし、**あわてて**首をふった。

「いいえ、そんなことはありません」

「かくさなくてもいいんです。**マックがパンをオーブンに入れた後、あなたがちゅうぼうをはなれたことはわかっています**」ホームズが言った。

ヤセザル看守は、持ち場をはなれたタイミングまで、ホームズが正確に言い当てるとは思っていなかったのだろう。あきらめてこう**白状**した。「はい。私は、マックがパンをオーブンに入れるのを確認し、その後トイレに行きました」

「**フン！　だとすれば、マックはお前がサボっているすきに、パンを1個ぬすみ出したのだ！**」ゴリストレードはヤセザル看守を責めて言った。

それを聞いたポーリー所長は、あわてて部下のために**しゃく明**した。「人がトイレに行くのは当たり前のことですから、サボったうちには入りませんよ。それに、かれが少しの間持ち場をはなれたとしても、マックがパンを

あわてる——びっくりして、まごつく。
白状——犯した罪やかくしごとを、自分からありのままに話すこと。
しゃく明——わけを説明して相手にわかってもらうこと。

1個ぬすむことはできません。だって、1個ぬすんだら、一目りょうぜんじゃありませんか」

ワトソンとフォックソンも思わずうなずいて同意した。もしマックが焼き型のうす焼きパンを1個切り取ったら、そこが欠けていることをだれもが見てすぐに気づくだろう。しかも、残ったうす焼きパン48個では、しゅう人49人に分けるのに1個足りなくなる。

「フフフ、ゴリストレード警部はまちがっていませんよ。**マックは確かに、かん視の目がない時を利用して、パンを1個分、切り取ったのです**」ホームズはなぞめいたことを言った。

「ありえませんよ」ヤセザル看守は納得できなかった。「ぼくがトイレからもどった後、マックがオーブンから完成したパンを取り出すのをこの目で見ましたが、**焼き型の中のうす焼きパンは、完ぺきで、切り取られて欠けている部分はひとつもありませんでした**」

「かれの言うことは本当です。おととい、昼ごはんの時に私も食堂にいましたが、マックをふくめて49人のしゅう人全員に、ひとり1個のうす焼きパンを配りました。しかも、見た

一目りょうぜん――ひと目見ただけですべてがわかること。
同意――賛成すること。
納得――よくわかること。承知すること。

感じでは、大きさもすべて同じでした」ポーリー所長も言った。
「あなた方の目を疑ってはいませんよ。あなた方が見たものは、すべて**事実**です」ホームズが言った。
「しかし、**マックがぬすんだのは、50個目のパンだったのです。**だれにも気づかれずに、焼き型から50個目のパンを切り取ったのです」
　みんなは顔を見合わせた。ほかの49個のパンはそのままに、どうやって50個目のパンを切り取ることができるのか、だれも思いつかなかった。
「ハハハハ、みなさんはマックが人を**だます**天才だということを忘れているようですね。ちょっとした細工をするだけで、かれは50個目のパンを切り出すことができたんですよ」ホームズは笑いながら、紙を１枚取り出し、マックの手口を図に書いて説明した。

事実——実際にあったこと。
だます——うそのことを本当だと思いこませる。あざむく。

❶ マックは、看守が席をはずしている間にオーブンから焼き型を取り出し、まだ完全に焼き上がっていないパン生地の**左上の角から下に30センチの位置から、右上の角に向かってナイフを入れ、**三角形のかたまりⒶを切り取った。

❷ その後、**左下の角から右に45センチの位置から、上に向かって垂直にナイフを入れ、**かたまりⒷを切り取った。

❸ そして、**下の辺から上に15センチの位置で、下の辺と平行にナイフを入れ、**かたまりⒸとⒹに切り分けた。

❹ さらに、今切り分けた**長方形のかたまり**Ⓓ**のはしから、15センチ四方のかたまり**Ⓔ**を切り取った。**このⒺが、つまり、マックがぬすみ出したあのパンなのだ！

垂直――直線や平面が、互いに直角に交わること。
平行――ふたつの直線、または平面が並んでいて、どこまでのばしても交わらないこと。

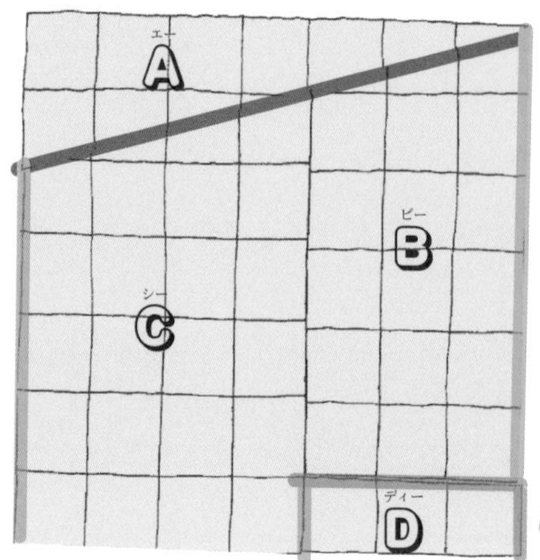

❺ Eを取り去った後、かたまりBとCの位置を入れかえ、Bの下にかたまりDをもどした。こうやって組み合わせれば、見た目では、縦105センチ、横105センチの完ぺきなうす焼きパンに見える。

❻ A、B、C、Dのかたまりを組み合わせた後、切ったところがくっつくように、マックはパン生地をオーブンにもどして焼いた。

❼ 仕上げはチーズだった。パンの上にチーズをのせて再び焼けば、チーズがとけてパンの表面をおおいかくし、切ったあとが完全にわからなくなる。

❽ 看守がトイレからもどってきたら、マックは何事もなかったかのように、焼き型をオーブンから取り出した。焼き上がったパンを縦横それぞれ7段に切れば、49個に切り分けられ、49人のしゅう人に配ることができた。もちろん、焼いているとちゅうでかれが取り出したあのかたまりEは、とっくに服の中にかくしておいたんだろう。

「すばらしい！」説明を聞き終わったポーリー所長は、ホームズを絶賛した。

ゴリストレードはすぐには納得せず、ヤセザル看守が拾ってきたうす焼きパンを手に取って、再びよく観察した。**ホームズの推理が当たっているなら、このパンはチーズをのせる前に切り取られたのだから、表面にはチーズがついていないはずだ。**

もちろん、ゴリストレードの負けだった。

「フフフ、チーズはついていなかっただろう？　私は最初にこのパンを見た時、そのことに気がついていたよ」ホームズが笑った。

「フン！　おれはチーズがきらいなんだよ！」ゴリストレードは何も反論できず、くやしまぎれにそうひと言言った。

フォックソンがちょっと考えて言った。「でもみなさん、想像してみてくださいよ。このうす焼きパンはマックがぬすんだものだと証明できたとしても、やつがへいを乗りこえてだつごくしたという証明にはなりませんよ。だって、へいの内側から

絶賛——たいそうほめたたえること。
くやしまぎれ——くやしさのあまり、むちゃくちゃなことをすること。

外側へ、パンを放り投げたのかもしれないじゃないですか」
「それもそうですね。もしも**長いはしご**がなければ、
6メートルの高さのへいをこえ
ることは難しいで
しょう」

ポーリー所長がうなずきながら言った。

「そのとおり。だから、**マックははしごでへいをこえてにげたのですよ**」ホームズが言った。

「えっ？　はしごなんてどこにあるんです？　そんな長いはしごは、このかんごくの中にはありませんよ」ヤセザル看守が言った。

「そうですよ。我々の**調査**でも、ここには長いはしごどころか、へいをこえるのに使えそうな長いロープすらありませんでしたよ」フォックソンが付け加えた。

ホームズはにやりと笑って言った。「君たちも見たはずだよ。**はしごは、へいのすぐ下に落ちていたじゃないか**」

ワトソンはおどろいてたずねた。「あの**6つの丸めた布**のことかい？」

「そうさ。だけど、半分だけ正解だな。**あの水道のじゃ口からの水がなければ、布だけでは役に立たなかったのさ**」

みんなはまた、たがいに顔を見合わせた。

「まだわかりませんか？　じゃあ、説明しましょう。おととい

調査——あることをはっきりさせるために調べること。

の夜、へいの表面はこおっていましたね？　まず、マックは布きれを水にぬらしてこぶし大に丸めたかたまりをふたつ作り、氷が張ったへいの表面の、地面から**75センチ（❶）**と**1メートル50センチ（❷）**の位置にくっつけた。しばらく待てば、ぬらした布きれのかたまりはへいの表面で**こおりつく**。これを**足がかり**にして、またぬらして丸めた布きれをふたつ、地面から**2メートル25センチ（❸）**と**3メートル（❹）**の位置にくっつけ、こおりつくのを待った。それまでの4つのかたまりを足がかりに、同じように

こおりつく——こおってくっつく。また、かたくこおる。

足がかり——高いところに登るときに、足をかけるところ。

ぬらして丸めた布きれを、地面から**3メートル75センチ**（⑤）と**4メートル50センチ**（⑥）の位置にくっつけた。すべての布きれがこおりついた後、それに手や足をかけて、6メートルの高さのへいを登ったんですよ」

「なるほど！」ワトソンは思わず声を上げた。

「6つの布のかたまりをへいにくっつけて、“氷のはしご”にしたんだね！」

「そのとおり。昨日の朝には気温が上がっていたし、あのあたりのへいは東向きでちょうど**朝日**も当たる。へいの表面にこおりついていた布がとけて落ちれば、“氷のはしご”も消えてなくなる。知らない人にとっては、ただの布きれが6つ、地面に落ちているだけに見えるでしょう」ホームズは続けた。「しかし、へいの外に落ちていたぼろきれをどう使ったのかについては、まだわからないんですがね」

なぞはまだ残っているものの、ゴリストレードもホームズの推理に感心し、親指を立てて言った。

「ホームズ、あんたはたいしたもんだ。今回は、さすがのおれも負けを認める

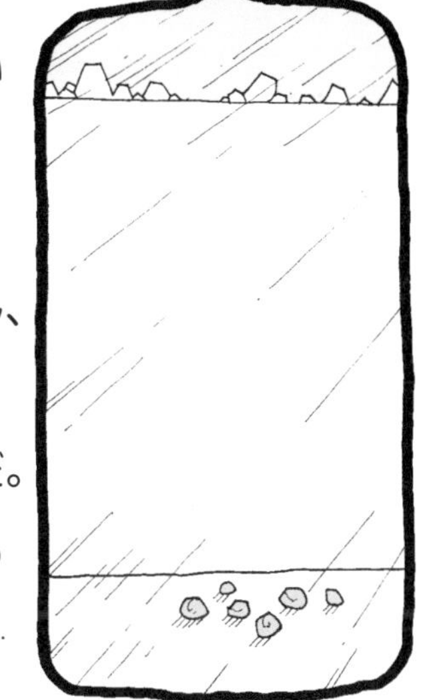

朝日――朝の太陽。また、その光。

よ。だけど、やつがにげた方法がわかっても意味がないぞ、大事なのはどうやってつかまえるかだ」

「かれのとう走経路がわかれば、つかまえるのはそう難しくないと思うよ」

「やはり大きな道のほうが歩きやすいですから、大きな道を通ってにげたのではないでしょうか」

ポーリー所長が頭をかきながら言った。

「そうとは限りません。マックはとても用心深い人間だ。おとといの夜、氷のはしごを作るのに、少なくとも5～6時間はかかったはずです。へいを乗りこえた時には、もう明け方に近かったでしょう。大きな道を行けば、だれかに見られる可能性がある。きっと裏道を通ってにげたのでしょう」ホームズが言った。

「裏道といえば……、山ごえしかありませんよ」

ヤセザル看守が言った。

とう走――にげ去ること。
経路――物ごとがたどった、すじ道。
用心深い――とても注意深い様子。
明け方――夜が明けようとするころ。夜明け時分。
山ごえ――山をこえること。

「山ごえ？」ホームズの目が光った。「山をこえるには、どのくらい時間がかかりますか？」

「とうげまで馬で登り、そこからスキーで下りれば、だいたい半日くらいでふもとに着くでしょう」

ヤセザル看守は首を少しかしげながら考え、答えた。「でも、歩きならば、たっぷり2日はかかります」

「なるほど。マックがうす焼きパンをぬすんでおいたのは、山をこえてにげる時の食料にしようとしたんだ。だつごくしてもう1日半。何も食べていなかったら、体力はかなり落ちているはずだ」ホームズが言った。

「フン、食料まで準備するとは、本当にぬかりのないやつだな」ゴリストレードが腹立たしげに言った。

「でも、それを落としてしまうとは、かれもうっかりしたね」ワトソンが言った。

「うん。うす焼きパンがなければ、体力を回復させて、先を急ぐこともできない」ホームズは少し考えて言った。「マックはまだ下山のとちゅうでしょう」

とうげ——山などの坂道を登りつめたところ。
ふもと——山の下のほう。山のすそ。
ぬかり——ゆだんや不注意による失敗。
下山——山から下りること。

「よし！　じゃあおれたちもすぐ追いかけるのだ！」ゴリストレードが言った。

「君たちは乗馬とスキーはできるかね？　とうげまで馬で登り、そこからスキーで下りなければ、マックには追いつけないぞ」ホームズが聞いた。

「もちろんだ！」ゴリストレードとフォックソンが声を合わせて言った。

　ヤセザル看守が言った。「ぼくは山のことをよく知っていますから、ぼくがご案内しましょう」

「それがいい。みなさんをたのむぞ」ポーリー所長も賛成した。

「ぼくはどうする？」ワトソンはみんなから完全に無視されて、不満げに言った。

「君も来るかい？　でも、**君は足をけがしたことがあるから、スキーは難しいんじゃないか？**」

　ホームズはなぜか、ワトソンにこの追跡に加わってほしくないようだった。

「ふん、見くびらないでくれ。ぼくはバランス感覚がいいんだ。スキーなんて難しくないさ」

　ワトソンは、大物さぎ師をつかまえる貴重な場面を見のが

無視——あるのに、ないようにあつかうこと。考えに入れないこと。
追跡——あとを追うこと。
見くびる——相手の力を軽く見て、ばかにする。あなどる。

したくないので、どうしてもみんなといっしょに行きたがった。

ホームズはしかたなく言った。「いっしょに来たいなら来てもいいよ。でも、絶対に後かいしないでくれよ」

5 雪山での大追跡

ホームズたちは、雪山用の服装に着がえた。そして、スキーの**装備**をたずさえ、かんごくから借りた、たくましい馬にまたがって、ヤセザル看守の案内のもと、雪山に向かって出発した。

装備——必要な物を身につけたり、たずさえたりすること。また、その物。
たずさえる——手に持ったり身につけたりする。

雪におおわれた山道は**でこぼこ**していて、一歩ふみ出すごとに、馬の足が40~50センチほども雪にうまった。もし人間が特別な装備をつけずに歩こうとしたら、とても大変だろうな、とワトソンは思った。マックがだつごくしてからもう1日以上たってはいるが、この様子では、きっとまだ山を下りているとちゅうだろう。追いつくことは不可能ではない。

幸いなことに、かんごくで飼われている馬たちは雪道を歩くのに慣れていたので、5人は3時間ほどでとうげまで登ることができた。

でこぼこ——出たり引っこんだりしていること。おうとつ。

「ここからはスキーで追いかけるぞ」ホームズが言った。
「馬たちはどうする？」ワトソンが聞いた。
　ヤセザル看守が笑って言った。
「ご心配なく。この馬たちは、この辺りの山道をよく知っていますから、もと来た道を自分たちで**たどって**、かんごくに帰っていきますよ」
　みんなは、それぞれ馬の背に積んでいたスキーの装備を下ろした。ヤセザル看守が馬たちのしりをぱちん！とたたき、「**ハイッ！**」と一声かけると、馬たちはおとなしくもと来た道をもどっていった。
「馬は本当にかしこいなぁ」フォックソンが言った。
「感心している時間はないぞ。はやく**スキー**をはいて追いかけんと、マックを取りにがしちまう」ゴリストレードがせかした。
　みんなは急いで、木製のスキーをくつに取りつけ、手には**ストック**をにぎって、出発の準備をした。
　登ってくる時には気がつかなかったが、とうげから下を見ると、山の**しゃ面**はかなり急だった。すべり降りるとい

たどる——道にそって進む。ある方向へ進む。
スキー——くつにつけて、雪の上をすべる細長い道具。
ストック——スキーで用いるつえ。
しゃ面——かたむいている面。

うよりも、まるでがけから飛び降りるようじゃないか。そう思ったワトソンは、足がぶるぶるふるえ出した。

「こんなに急だったとは……」

フォックソンが情けない声で言った。

ゴリストレードも**ごくり**とつばを飲んだ。かれも、しゃ面の角度におそれをなしたようだった。

「このくらいのしゃ面はたいしたことありませんよ」ヤセザル看守は、なんでもないという口ぶりで言った。

「では、お先に失礼します」そう言ったかと思うと、ヤセザル看守はひらりと身をひるがえして、さっさとすべっていってしまった。

「さあ、みんなはどうする？　おじけづいたかな？」ホームズがちょっと意地悪そうに言った。

「**でたらめ**を言うな！　この程度のしゃ面なんかたいしたことないぞ。おれはただ、一番後ろから行こうと思っていただけだ」おそろしさに固まっていたゴリストレードは、あわてて平気なふうを**よそおって**言った。

「そうそう、そうですよ！　私たちは**しんがり**をつとめますから、お先にどうぞ」フォックソンもこわがっていないふりをして、ゴリストレードに合わせて言った。

ごくり——ものを飲みこむ音や様子。
でたらめ——りくつに合わないことをしたり、勝手な出まかせを言うこと。
よそおう——そのふりをする。
しんがり——列や順番の一番後。最後尾。

「そうかい？　じゃあ、私とワトソン君が先に行こう」ホームズが言った。

「え？　ぼくも？」ワトソンもまだぐずぐずしていた。

「そうだよ。行くぞ！」ホームズはワトソンの**不意をついて**、その背中をぐいっと押した。

「**わあああああああ**——」ワトソンはいっしゅんバランスをくずし、前のめりになってしゃ面をすべり下りていった。

不意をつく——考えてもみないときに、とつぜん行う。

すると、ここできせきが起きた。今にも転びそうだったワトソンが、すぐにバランス感覚を取りもどし、しゃ面をゆうゆうとすべり出したのだ。
「ははは、ワトソン君もなかなかうまいじゃないか。**勇気をもってはじめの一歩をふみ出し、あとは勢いに乗ってすべっていけば、きょうふなんかすぐにこくふくできるのさ**」
ホームズは独り言のように言ったが、もちろんそれは、ゴリストレードとフォックソンに言い聞かせているのだった。
だが、それでもふたりは足をふみ出さなかった。
「わかったよ。やはり私が先に行こう」
ホームズはそう言い残して、ヒューッと空中におどり出ると、そのまま雪のしゃ面を飛ぶようにすべっていった。
スコットランドヤードのふたりはそれを見て、おっかなびっくり第一歩をふみ出した。すると、ワトソンと同じように、ふたりともすぐにバランスをつかむことができ、前をすべるホームズを

きせき——ふつうではとても考えられない、不思議なできごと。
こくふく——困難にうち勝つこと。
おっかなびっくり——びくびくしながら物ごとをする様子。おそるおそる。

5　雪山での大追跡

なんとか追いかけ始めた。

スキーが上手なホームズとヤセザル看守も、ほかの3人のためにスピードを落としてすべったので、**ほどなく**、5人の間のきょりは縮まった。

「マックの足あとを見つけたかー?」ゴリストレードが後ろから声をかけた。

「まだだー!」ホームズは声を張り上げて答えた。

「左右の林を、注意して見てくださいねー。マックがかくれているかもしれませんよー」ヤセザル看守も大声で言った。

「おや？　左手の林の中に、何かいるようだ！」

そう言うと、ホームズは上半身を左へかたむけ、

ほどなく――やがて。まもなく。

シュッと方向を変えて、左手の林の中へすべっていった。

「おーい、待てよー！」ゴリストレードも、あわててホームズのまねをし、左手の林のほうに曲がった。フォックソンも**後れを取って**は大変とばかりに、そのあとを追いかけた。

「木にぶつからないよう注意してくださいよー！」ヤセザル看守がさけんだ。

その声が届くか届かないかのうちに、

「**うわあああああああ！**」

とゴリストレードが悲鳴を上げ、「**バン！**」という大きな音とともに、１本の木に**しょうとつ**してひっくり返った。

「**ひえええええええええ！**」

後ろをついてきたフォックソンは、急いで止まろうとしたが間に合わなかった。

後れを取る――人よりおとる。負ける。

しょうとつ――ぶつかること。

ストックが空中に舞い、勢いあまったフォックソンの体は、どさっとゴリストレードの上に乗ってひっくり返った。

ヤセザル看守とワトソンはおどろいて、ふたりの様子を見にすべり寄った。

「だいじょうぶかい？」ワトソンが聞いた。

「うぅ……、痛いよぅ……」フォックソンが**うめいた**。

かれの片方の足が、ちょうどゴリストレードの首の上に乗っていた。

「痛いのはおれだ！　早くおれの上から下りろ！」ゴリストレードはそうさけんで、手でフォックソンの足を押しのけた。

「先に転んだのはあなたでしょう？　転んだあなたをよけようとして、私も転んだんですよ！」

フォックソンもどなった。

うめく――苦しくてうなる。

口げんかをする元気があるのを見て、ワトソンはふたりに大きなけががなかったことを知り、ひと安心した。

この時、一じんの風のようにヒューッとホームズがすべってきて、みんなのそばで止まった。

「どうだった？ 何かいたか？」ゴリストレードが起き上がりながら聞いた。

「いたね。でも、ただの山羊だった」ホームズがかたをすくめて言った。

「なんだ、マックじゃなかったんですね」フォックソンががっかりした顔をした。

「なんてこった。おれが転んだのはむだだったのか」ゴリストレードがムスッとして言った。

5人はスキーをつけなおし、再び山のしゃ面をすべり下りていった。ゴリストレードとフォックソンは、またあんなみっともない姿をさらさないように、スピードを落とし、さらにしんちょうにすべった。

一じん——風や雨が、しばらくの間激しくふいたり降ったりすること。

かたをすくめる——両方のかたを縮ませる。はずかしかったり、がっかりしたり、あきれたりしたときの様子。

みっともない——ていさいが悪い。見苦しい。

しんちょう——注意深いこと。かるがるしくしないこと。

ホームズも、どこか満足げな表情で、ほかの人に合わせてゆっくりスキーを進めた。こうしてまた30分ほどすべって山のふもとに近づいてきた時、遠くの雪の上に、何か灰色のものが落ちているのが見えた。

ヤセザル看守がすべってゆき、それを拾って言った。

「**これはかけぶとんですね。どうもマックが使っていたもののようです。でも、どうしてこんな形になっているんでしょう**」

「どうりで、独ぼうにあるはずのかけぶとんが見当たらなかったはずだ。マックは本当に頭の切れるやつだね。ふとんカバーを**さいた**布きれで、氷のはしごを作っただけじゃなく、中身のかけぶとんをこんなふうに使うとは」

ホームズはふとんを調べながら、感心したように言った。

「どういう意味です？」フォックソンが聞いた。

「まだわからないのかい？ **これはふとんで作った、そく席のそりだよ**」ホームズはきっぱりと言った。

そう言われて、みなはすぐになぞが解けた。片側のはしを

さく——力を加えて、破る。
そく席——その場ですぐ作ること。間に合わせ。

しばったふとんの上に足を伸ばして座り、もう片方のはしの左右を両手でつかめば、ふとんをそりのようにして、雪のしゃ面をすべることができる。こうすれば、山を下りる時間を大はばに**短縮**することができるのだ。

ワトソンはひそかに思った――かけぶとんとふとんカバーをこんなふうに使ってだつごくするなんて、マックというやつは、本当にかしこいな。どうりで、ホームズもかれに**一目置いて**いるはずだ。

「どうしましょうか？」

ヤセザル看守ががっかりしてたずねた。

「どうするもこうするも、おれたちは引き続きマックを追うまでだ。お前は帰って、ポーリー所長に報告するんだ」

ゴリストレードが言った。

短縮――短く縮めること。
一目置く――相手を尊敬してえんりょする。

6 マックの足あと

山のふもとの村にホームズたちがとう着した時、すでに日は暮れていた。ヤセザル看守はすぐに馬車をやとって、かんごくへもどっていった。ゴリストレードとフォックソンは、この後どうしたらいいのか、考えあぐんでいるようだった。

ワトソンが聞いた。「どっちの方向を探すかい？」

「うううむ……、それは難しい問題ですね」フォックソンは、とほうにくれたように言った。どうやらマックをつかまえる自信がなくなってきたようだ。ゴリストレードもうで組みをしてうつむいたまま、むっつりとだまりこんで

考えあぐむ——いい考えがうかばなくて、こまりはてる。
とほうにくれる——うまい方法がなくてこまりはてる。
むっつり——あまり口をきかず、あいきょうのないこと。

いる。それはゴリストレードが次の手を思いつけずにいる時の、いつものくせだった。

「もし私がマックなら、山を下りて、まずは何をするかなぁ?」ホームズがふとつぶやいた。

そのひと言で、ゴリストレードがはっと顔を上げた。**「着がえだ！」**

「そうですよ！」フォックソンもすぐに反応した。「山の中でしゅう人服を着ていてもだれにも見られないけれど、村に下りたら、着がえをしなきゃ、すぐに正体がばれてしまいますからね！」

ゴリストレードが**推測**した。「やつは金を持っていないから、にげ続けるには金と服をぬすむしかない。地元の警察署に行って、この辺りで**せっとう**事件がなかったか聞いてみよう」

「そうだね。聞いてみればすぐにわかるだろうね」ホームズも同意した。だが、なぜかかれの口元には笑みがうかんでいた。すべてはかれの計画のうちだとでも言うように。

ワトソンはその様子を見て、マックが次に何をするのか、ホームズはとっくにわかっていたのだろうと思った。だが、ゴリストレードたちの顔を立てるために、かれらが自分で思いついたように**ゆう導**したのだ。

推測——わかっていることをもとにして、人の心の中や物ごとのなりゆきを推し量ること。
せっとう——人の物をこっそりとぬすむこと。また、その人。
ゆう導——目的のところに、さそい導くこと。

4人は、鉄道駅の近くにある警察署を見つけた。地元警察署の警官は、ゴリストレードたちがロンドンからやってきた警部だと聞くと、すぐにてきぱきと2件のせっとう事件について報告した。

まず、昨日の深夜12時ごろ、ひとりの旅行者が駅で財布を失くしたと警察に届け出た。駅の入り口でコートを着たしん士とぶつかった時に、すられてしまったようだという。

もうひとつ、村にある洋品店で、今朝、開店の準備をしようとした店員が、ショーウィンドーのガラスが割られ、かざってあった男物のシャツ、スーツ、コート、そして靴下までもがすべてぬすまれているのを発見した。おそらく、昨夜8時に店を閉めた後、どろぼうに入られたのだ。幸い、ショーウィンドーは店内には通じていなかったので、レジの中のお金は**無事**だった。

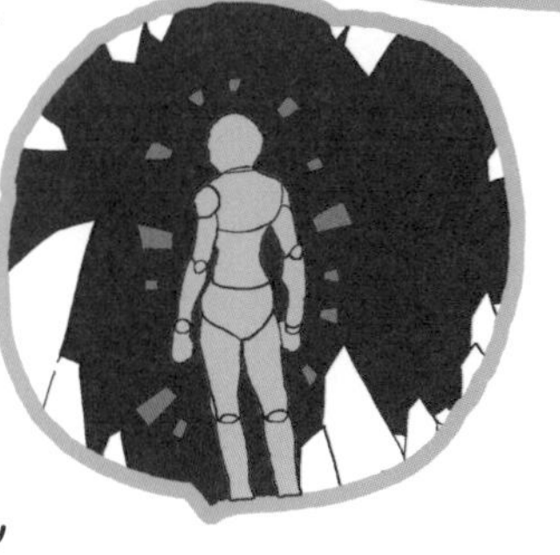

「フン！　マックのしわざに決まってる！　洋品店の閉店後に服

無事――何も変わったことがないこと。また、健康なこと。

をぬすんで、しん士のような服を身につけて駅まで行き、他人の財布をすったのだ！」ゴリストレードは**歯ぎしり**をしながら言った。

「ということは、マックはとても急いで汽車に乗ってにげたんだね」ホームズが言った。

「どうしてそう思うんだい？」ワトソンが聞いた。

「マックはとても用心深い。駅ですりをはたらいて、自分の行き先のヒントを残すことなんて、絶対にしないはずなんだ。でも、それをやったということは、**どうしても急いで汽車に乗る必要があった、ということだよ**」ホームズが分せきした。

　ゴリストレードはちょっと考え、警官にたずねた。「その旅行者は、財布がなくなったことにいつ気がついたんだ？」

「その人は、夜中の12時に出る最終の夜行列車に乗るために、その直前に駅にかけつけたのです。ところが、きっぷを買おうとしたら財布がなくなっていた。つまり、かれが財布をすられたのは、列車が出発する10分ほど前、午後11時50分ごろでしょう」と警官が答えた。

「わかった！」フォックソンが割りこんだ。

「マックはどうしても昨夜の最終列車に乗りたかったんだ！

歯ぎしり——歯をかみ合わせておこり、くやしがること。

行き先を知られる**危険**をおかしてまでも！」

ゴリストレードは両目をぎろりとむき出して、厳しい声でたずねた。「最終列車の行き先はどこだ？」

警官はゴリストレードのおそろしい顔にとび上がり、あわてて列車の時刻表を見ながら答えた。

「**終着駅はロンドンです**」

フォックソンが、時刻表に顔を近づけて確認し、がっかりしたように言った。「でも、ここからロンドンの間には、駅が10か所以上ありますよ」

「いえ、昼間は各駅にとまりますが、最終の夜行列車は終着駅のロンドンまでノンストップで走ります」警官が言った。

危険――悪い結果になるおそれがある様子。

ゴリストレードは両目を真ん丸に見開き、興奮してさけんだ。「すぐにロンドンにもどるぞ！」そう言うやいなや、ゴリストレードは警察署を飛び出していった。フォックソンも急いでその後を追った。

ところが、ホームズはあわてずさわがず、警官にお礼を言ってあく手し、何もかも計算済み、という顔で、ゆうゆうと警察署をはなれた。

ホームズの様子を見て、ワトソンが聞いた。「ゴリストレードたちを追っかけなくていいのかい？」

「どうして？　かれらは私たちを待っててくれるよ」ホームズはちょっとずるそうに笑って言った。

「そうかい？　あんなに急いで、今ごろふたりはもう

ゆうゆう——急がないで、ゆったりした様子。

列車に飛び乗ってるんじゃないかな」

「時刻表を見ていないのかね？　次のロンドン行きの列車が出るのは、30分後だよ。あわてて駅に行っても、結局待つことになるのさ」

ホームズはゆうぜんとパイプのけむりをはき出した。

「なんと！」ワトソンはあぜんとした。ホームズは、さっき時刻表を見た時、次の列車の時間まで、しっかり確認していたのだ！　ワトソンはこの時、ホームズが常に言っている口ぐせを思い出した。

「ふつうの人はただ“見ている”だけだが、私は“観察している”のさ」

結局、ふたりが駅に着くと、ゴリストレードとフォックソンは、いても立ってもいられないような様子で待合室を行ったり来たりしていたのだった。

ゆうぜん――落ち着いている様子。ゆったりとして、こせこせしない様子。
いても立ってもいられない――気になって、じっとしていることができない。

教会での結こん式

4人が乗った夜行列車がようやくロンドンにとう着したのは、翌朝の8時半だった。ゴリストレードとフォックソンは、ホームズとワトソンを置き去りにし、急いで馬車をやとってスコットランドヤードにもどっていった。

それまでのんびりかまえていたホームズは、ふたりの乗った馬車が去っていくのを見届けると、とつぜんワトソンに言った。「**急ごう！　間に合わなくなるぞ！**」

ワトソンが**状きょう**を理解するのも待たず、ホームズは手を挙げて馬車をとめ、座席に飛び乗った。ワトソンはホームズが何を考えているのかまったくわからなかったが、かれのあまりに急いで

状きょう——その時のありさま。様子。

いる様子を見て、ただついていくしかなかった。

「急いでセントマーティン教会に行ってくれ。9時前に着くことができたら、半ソブリン金貨をあげよう」

ホームズがぎょしゃに言った。

「いいとも。金貨はいただきだ」

ぎょしゃがむちをひとふりすると、馬車はすぐに全速力で走り出した。

「こんなに急いで、セントマーティン教会でいったい何をするんだい？」

「結こん式に出るのさ」

「だれの？」

「ケイティのだよ」

「ケイティ？　それはだれ？」

「マックのむすめさ」

「あっ！」ワトソンはようやく、マックにむすめがいたことを思い出した。

半ソブリン金貨——シャーロック・ホームズの時代に使われていた金貨のひとつ。
むち——馬などを打って進ませるための棒やひも。

4年前、ホームズとゴリストレードは、マックがむすめの誕生日パーティーに現れたところをつかまえたのだった。

「ケイティは今日結こんする。セントマーティン教会で式を挙げるんだ」ホームズが言った。

「どうしてそれを……?」

そう言いかけて、ワトソンは答えを思いついた。フォックソンからの電報を受け取った後、ホームズはすぐに調査をしたと言っていたではないか。ケイティが今日結こんすることは、きっとその時に知ったのだろう。

あと1年でかんごくを出られるはずだったマックが、**あせって**だつごくした理由はこれだったのだ。ケイティを預けていた友人からの手紙で**むすめが結こんすることを知り、むすめの一生に一度の晴れ姿を、どうしても自分の目で見たくなったのだろう**。行き先が**ばれる**のもかまわずロンドンに急いだのは、こんな理由からだったのだ。

あせる——思うようにいかなくて、じりじりする。いらいらする。気をもむ。

ばれる——かくしていたことが人に知られてしまう。

「こんな重要な情報を、
どうしてゴリストレードたちに
言わなかったんだい？」

「マックが結こん式に来るからさ」

「それならなおさら
知らせるべきじゃないか」

ホームズは、びっくりしたようにワトソンのほうをふり向いて言った。

「4年前、あのふたりは、ケイティの目の前でマックをたいほして、かのじょの心をひどく傷つけたんだぞ。たくさんの客が集まる結こん式で、また同じことをくり返すのか？」

「あ！」

ワトソンは、ホームズの気づかいを知って、言葉も出なかった。

確かに、もしゴリストレードとフォックソンがこの情報を知ったら、かれらはきっと教会にたくさんの警官を**配置**して、マックが現れたところで、かれを取り囲んでつかまえるだろう。大ぜいの来客の目の前でそんなことが起きたら、花よめのケイティはこの上もなく悲しむだけではなく、夫やその親せきにも一生顔向けできなくなる。

「ワトソン君、わかっているかい？」ホームズはしみじみした声で言った。

「警察が法に基づいて犯罪者をつかまえるのは、社会の**ちつ序**を保って、人々が**ひ害**を受けないようにするためだ。だが、法を守ることだけを優先するあまり、罪のない人々を傷つけることになるのだったら、それにはいったい何の意味があるのだろうね？」

　ワトソンはうなずきながら言った。

「君の言うとおりだ。ぼくたちはケイティの目の前でマックをつかまえてはいけないね。でも、だからといって、かれをこのまま見のがすわけにはいかないだろう」

「もちろん見のがさないさ。私たちはただ、こっそりマックを見張っていて、かれが教会を出たところでつかまえればいいのさ」

配置——決められた場所に割りあてて置くこと。
ちつ序——物ごとの正しい順序。決まり。
ひ害——わざわいを受けること。また、受けた損害。

「マックににげられないかね？」ワトソンは心配そうに聞いた。

「だいじょうぶ。私の姿を見たら、かれはきっと、おとなしく自首するよ」

「どうしてだね？」

「私はかれの弱点をにぎっているからさ」

「弱点？」

「そうだよ。むすめの結こん式の会場で、自分の正体をばらされるのをだれよりもおそれているのは、マック本人だ。私たちの姿を見れば、だまってつかまるはずさ」

「それもそうだな。にげようとしてさわぎを起こせば、ケイティがまた傷つくことになるからね」ワトソンもその考えに同意した。

「フフフ……。実は、この事件はこうやって簡単に解決できたんだよ。**時間をかせぐ必要がなければ、わざわざ『鉄ぺき』まで行かなくてもよかったのさ**」ホームズが笑いながら言った。

「何だって!?」ワトソンははっと気がついた。

「わかったぞ！　**君が『鉄ぺき』に行ったのは、ゴリストレードたちをあそこに引き止めて、マックのむすめの結こん式のことを調べる時間を与えないようにするためか**」

弱点——後ろ暗いところ。知られると困るもの。弱み。

「そのとおり」ホームズはあっさりと認めた。
「君も知っているだろう？　犯罪の情報を知っていて警察に知らせないことも、警察のそう査をじゃますることも、どちらも法を破ることにつながる。最初のころ、君に計画を話さなかったのは、つまりこういうことだったのさ」
「じゃあ、雪山での追跡も、すべて君が仕組んだしばいだったってことか？　雪山をスキーですべり降りるのは、こわくて死にそうだったんだぞ！」
ワトソンはうらみ言を言った。
「私を責めないでくれよ。山ごえをする前、『**君は足をけがしたことがあるから、スキーは難しいんじゃないか？**』って、暗に止めただろ。こうき心に負けて、どうしても行くと言い張ったのは君だよ。私のせいじゃないさ」ホームズも言い返した。
ホームズにこう言われると、ワトソンもそれ以上言い返すことができなかった。
そうこうしているうちに、ふたりの乗った馬車は、堂々とした風格を持つセントマーティン教会の前に着いた。

しばい——人をだますための作りごと。
こうき心——めずらしいことや知らないことを、知りたいと思う心。
風格——味わい。おもむき。

「結こん式は9時ごろから始まる。なんとか間に合いそうだ」
馬車から降りたホームズが、ワトソンに言った。
　ふたりはこっそりと教会の中にしのびこんだ。礼拝堂では、とても**厳か**な、でも心温まるふんい気の中、**牧師**の前で**新ろう**・**新婦**がちかいの言葉を交わすところだった。

厳か——いかめしく、おもおもしい様子。
牧師——プロテスタント系のキリスト教会で、信者を教え導く人。
新ろう——結婚式をあげる男の人。はなむこ。
新婦——結婚式をあげる女の人。はなよめ。

ホームズは、ひじで軽くワトソンをつつき、礼拝堂のかべぎわにある階段から2階に上がろうと伝えた。高いところから見下ろせば、マックが来客の中に**まぎれて**いても、すぐに見つけることができるだろう。

もくろみどおり、ホームズは2階から来客たちを観察して、すぐに目標の人物を見つけ出した。

「ほら、右側3列目のベンチの右はしに座っている金ぱつのしん士が、マックだよ」ホームズは小さな声で言った。「変装をしているけれど、私の目はごまかせないさ」

まぎれる——入りまじってわからなくなる。

「どうする？」ワトソンは声をおさえて聞いた。

「君はここで見張っていてくれたまえ。私は１階に下りて、後ろの通路からマックをかん視することにする」

言い終わると、ホームズは、ぬき足さし足で１階に下りていった。

結こん式は、とどこおりなく進んだ。金ぱつのしん士は、静かにベンチに座り、牧師が祝福の言葉を述べるのを聞いていた。

牧師の祝福が終わると、聖歌隊の出番だった。のびやかな歌声が礼拝堂いっぱいにひびきわたり、来客たちはその美し

ぬき足さし足――足音をしのばせて歩くこと。
とどこおる――物ごとがうまく進まなくなる。

いハーモニーにうっとりと聞き入った。歌が終わると、礼拝堂は**割れるような**拍手に包まれた。

この時、ホームズがかべ側の通路から姿を現し、金ぱつのしん士のかたに手を置いて、耳元で何かささやいた。来客たちの拍手とかん声が続く中、ふたりはそっと席をはなれ、礼拝堂から出ていった。

ワトソンもあわてて2階から下り、教会を飛び出した。辺りを探すと、教会の出口からそう遠くないかべの角のところに、ふたりが立っているのを見つけた。

この時初めて、ワトソンはマックの姿をはっきりと見ることができた。うかない表情をしてはいたが、マックは学者のような知性のあるまなざしと、品の良いふんい気をもつしん士で、ホームズが言う大さぎ師のようには見えなかった。だがワトソンは、一流のさぎ師だからこそ、人にあやしまれるような外見はしていないのだろう、と思い直した。

ワトソンが近づいていくと、マックがホームズに向かってこう言っているのが聞こえた。「……というわけだったんだよ。事実は、あなたの推理とは少しちがっていたな」

「そういうこともあるだろうね」ホームズはため息をついて言った。「**事実とはそういうものだ。必ずしも、人が想像**

割れるような——声や音がとても大きい様子。

したそのままのように起きるわけではない。**事実は推理よりも奇なり**、だね」

　ワトソンは思った――ふたりは何の話をしているんだろう？　まさか、ホームズの推理は外れたのか？　マックがむすめの結こん式に現れたということは、マックがだつごくした目的に関するホームズの推理は当たっていた。外れたとすれば、どうやってだつごくしたか、という部分だな。つまり、“氷のはしご”でかべを乗りこえたのではなかったのか？　じゃあ、いったいどうやって……？

事実は推理よりも奇なり――「事実は小説よりも奇なり」（世の中の実際の出来事は、人が考えて作る小説よりもかえって不思議だ）をもじった、ホームズのセリフ。

マックは歩いてくるワトソンに気がついたが、ちらっと目をやっただけで何も言わなかった。かれは友人どうしの気軽なおしゃべりでもしているかのように、ホームズに言った。

「これであなたの疑問は解決しただろう。もうひと目だけ、ケイティの顔を見てもいいかね。次に会えるのは、何年後になるかわからないからね」

「もちろんだ」ホームズもあっさり答えた。「ここで待てばいい。新ろう新婦が馬車に乗って通る時に、ケイティの顔が見えるだろう」

「ありがとう」マックは少し照れたように言った。かれは、ホームズのはからいに感謝しているようだった。

しばらくすると、来客たちが続々と教会から出てきて、道の両側に並んだ。人がきの後ろに立ったマックは、明らかにきん張しているようで、ときどきつま先立ちをしながら、馬車が来るのを待っていた。

「来たぞ！　来た！」

道の両側の来客たちがそわそわし始めた。

続いて、パカパカパカパカ……という

はからい——取りあつかい。処置。
人がき——かきねのように、大ぜいの人が立ち並ぶこと。
きん張——心が引きしまること。
パカパカ——馬が軽やかに歩む時の、ひづめが鳴る音。

ひづめの音とともに、花で美しくかざり立てられた馬車がやってきた。馬車に乗った新ろう新婦が幸せそうな表情で手をふり、道の両側に並んだ来客たちからは、お祝いの拍手とかん声が上がった。

ひづめ——牛、馬、羊などの足のつめ。

「ああ〜！」

馬車を目にしたマックが、とつじょ、さけび声を上げた。ワトソンはそれが、悲しみのさけびではなく、心の底からわき上がったうれしさの声だとわかった。こっそり**ぬすみ見る**と、マックは全身をふるわせ、興奮のあまり声も出ないようで、その目には涙が光っていた。

馬車は、目の前をゆっくりと通り過ぎていった。この時、ワトソンは馬車をかざる花の中に、かわいらしいぬいぐるみがいくつも並べられているのに気がついた。そのしゅん間、ワトソンはようやく、マックが何に**感激**しているのかがわかった。

馬車の上の花よめケイティは、だれかをさがしているかのように、しきりに道の両側にいる来客のほうを見回していた。だが、ケイティがこちらのほうを見た時、マックはあわてて後ろを向き、むす

ああ——悲しんだり、よろこんだり、おどろいたりしたときに出る言葉。
ぬすみ見る——気づかれないように、こっそり見る。
感激——深く感じて心が激しく動くこと。

めの視線をよけた。そして、小さな声でホームズに言った。
「もうじゅうぶんだ。行こう」
　ホームズはだまってうなずくと、マックを連れて近くの警察署へ向かった。そしてマックのかたを軽くたたいて言った。「だいじょうぶ。むすめさんのことは秘密にしておくよ。自首したら、スカーフェイスの件だけを話せばいい」
　ワトソンは思った。“スカーフェイスの件”とは、何のことだろう？　確かにマックはスカーフェイスにけんかをしかけ、ホームズはそのことを疑問に思っていたが、そのことと関係があるのだろうか？
「お気づかいありがとう。いつかまたお会いしよう」マックの別れの言葉が、ワトソンの考えをさえぎった。マックは少し気まずそうに笑った。そして、まるでかたの荷が下りたかのように、すっきりした顔で、警察署のほうへ歩いていった。

視線——目で見ている方向。目の向き。
自首——罪を犯した人が、自分から警察に申し出ること。
かたの荷が下りる——責任や重荷がなくなって、楽になる。

8 推理のふたつのまちがい

「馬車にかざってあったぬいぐるみが、マックの心のわだかまりを消したんだ」ホームズは、去ってゆくマックの後ろ姿を見ながら、感がい深げに言った。

ワトソンも言った。「うん。あれは毎年、マックがむすめにおくっていた誕生日プレゼントだろう？」

「そうだ。15個あった」ホームズが答えた。「ケイティはすべて大事に持っていたんだ」

「でも、ケイティはどうしてそのぬいぐるみを馬車にかざっておいたんだろう？　マックが現れることを知っていたのかな？」

「私が電報でケイティに知らせたんだ。だれとははっきり言わなかったが『あなたを深く愛している人が、結こん式に来て、あなたをそっと見ていますよ』とね。でも、ケイティがぬいぐるみを馬車にかざるとは予想していなかったよ。きっとマックへの気持ちを伝えたかったんだね」

「ぬいぐるみを見て、マックは感激していたね」

わだかまり――（不満や疑いなど）気にかかることがあって、すっきりしないこと。

「むすめが自分を許してくれているとわかったんだ。感激しないはずがないさ」

「完ぺきな**ハッピーエンド**だったね」ワトソンがしみじみと言った。

「マック親子にとっては、そうかもしれない。でも、私にとっては完ぺきじゃなかった」ホームズは、頭をふりながら言った。

「どうして？」

「**この事件に関する私の推理の半分は外れていたからさ。**しかも、大きく外れていた」

「え？ **“スカーフェイスの件”**ってやつかい？」ワトソンは疑問に思っていたことを聞いてみた。

「それも、まちがったふたつの点のうちのひとつだ。もうひとつ、**マックがだつごくした方法についても、私の推理はまちがっていたんだ**」ホームズが言った。

マックは、ホームズにすべてを説明していた。へいの外に落ちていたパンについては、ホームズが推理したとおりに、マックがこうみょうな方法で切り分けておいたものだった。

しかし、かれが高いへいを乗りこえた方法については、ホームズの推理はまちがっていた。最初、マックは確かに、ぬら

ハッピーエンド――物ごとが幸せに終わること。とくに、物語や映画などの幸福な結末。

して丸めた布を使って“**氷のはしご**”を作り、へいを登ろうとした。だが、実際には“氷のはしご”は、マックの体重を乗せられるほどには強くならず、足をかけるとすぐに落ちてしまったのだ。

マックはそこで少し考え、すぐに別の方法を思いついた。まず、ふとんカバーを引きさいて1本に結び、約7.5メートルの長さの布のロープを作った。次に、ロープのはしから2メートルほどまでの部分に自分のおしっこをかけてぬらした。そしてぬらしていないほうのはしを手ににぎったまま、ぬれたほうのはしをへいの外側へ放り投げた。

布ロープのぬれたほうのはしが、へいのてっぺんをこえたしゅん間、マックは手ににぎっていたほうを勢いよく引っ張った。布ロープは、下に落ちてゆく力と、へいの内側から引っ張る力の**相互**作用で、**先たん**のぬれた部分が開き、ぴたっとへいの外側にはりついた。

おしっこは体内から出た時、人間の体温とほぼ近い、30度以上の温度がある。温かいおしっこをかけた布ロープのはし

相互——向こうとこちらの両方とも。おたがい。
先たん——物のはし。とがったものの先のほう。

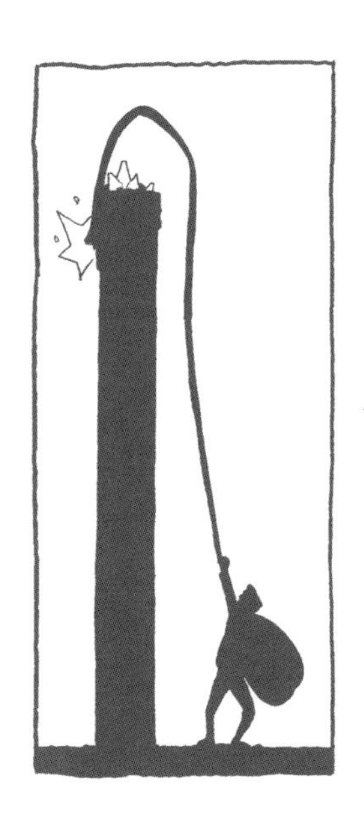

が、こおったへいの表面にふれると、すぐにこおりついてくっつく。**マックは、こうしてへいの表面にくっついて固定された布ロープを手がかりにし、かけぶとんを背負って、へいのてっぺんまで登った。**

そして、ふとんをへいの外の雪の上に落としてクッションの代わりにし、布ロープをにぎったまま、その上に飛び降りた。飛び降りた時に布ロープはマックの重さでちぎれ、へいにこおりついた30センチほどの一部分だけがそのまま残った。

「朝になって気温が上昇して、へいの表面の氷がとけ、くっついていた布ロープの一部分もとけて雪の上に落ちた。私たちが見つけたぼろきれが、それだったんだ」

ホームズが最後に付け加えた。
「そういうことだったのか……」だが、そこでワトソンが気がついた。「じゃあ、“スカーフェイスの件”というのは、いったい何だい？」
「それが、私が気がつかなかったもうひとつの点だよ。マックが独ぼうの鉄ごうしに細工をしていたのは、**実は自分のためではなく、スカーフェイスにおどされてやったことだったんだ**」
「えっ？　つまり、もともとだつごくしようとしていたのはスカーフェイスだったということかい？」ワトソンが聞いた。
「そうだ。マックはしゅう人たちのボスであるスカーフェイスからいじめられたり、なぐられたりしていた。これ以上なぐられないために、しかたなくスカーフェイスのだつごくの準備に**協力**していたんだ。だが、むすめが結こんするという知らせを聞き、マックは考えを変えた。スカーフェイスをなぐったのは、自分が独ぼうに入るためと、これまでの仕返しをするためだったのさ」
「なるほど……、マックが自分よりかなり体も大きくて力も強いスカーフェイスにけんかを売ったのは、そのためだったんだね」ワトソンは納得した。

協力——力を合わせて物ごとをすること。

「もちろん、マックがだつごくした一番の目的は、むすめの**晴れ姿**をその目で見ることだった。でも同時に、スカーフェイスがだつごくする手助けをしたくなかったんだよ。スカーフェイスをだつごくさせるのは、虎をおりから放つようなものだ。社会に危険がおよぶからね」

「すばらしい」ワトソンは感心して言った。

「まったく、**一石二鳥**の計画じゃないか。だつごくに成功した後、警察に自首して、スカーフェイスのおどしに耐えかねてだつごくしたと言えば、つじつまが合うね」

「そうだよ。警察はマックの説明を聞いたら、そのほかのことは調べないだろう。かれがむすめの結こん式に出たことは、永遠に**秘密**のままにしておけるさ」

晴れ姿――おおやけのはなやかな場所での晴れがましい姿。
一石二鳥――ひとつの石で２わの鳥をうち落とすように、あるひとつのことをして、ふたつの得をするたとえ。
秘密――人に知らせないでかくしておくこと。

「でも、ケイティはもうかれのことを許しているのに、マックはなぜ、むすめに直接会おうとしなかったんだろう」ワトソンが**いぶかしんだ**。

ホームズは、ワトソンのほうをふり向いて、意味ありげに言った。

「マックの性格を考えれば、きっと、むすめを遠くから**見守る**だけでいいと思ったんだろうね。ケイティは人生の良きパートナーを見つけた。ケイティの夫やその家族は、かのじょの父親がさぎ師だということは知らないんだ。わざわざ名乗りを上げて、むすめの新しい生活に**波風を立てる**必要はないだろう？」

「そうだな。その必要はないな」ワトソンもうなずき、考えた。

むすめに直接会えないことは、マックにはもちろんつらいことだろう。だが、人生はすべてが思いどおりにはならないものだ。愛する者の**幸福**な姿を遠くからそっと見守ることも、ひとつの幸せといえるのかもしれない。

おわり

（『続 シャーロック・ホームズの大追跡』も読んでね！）

いぶかしむ——あやしいと思う。
見守る——じっと見つめる。
波風を立てる——争いごとやもめごとを起こす。
幸福——満足して楽しい様子。しあわせ。さいわい。

科学小知識

さび

金属が空気中の酸素や水分とふれると、化学反応が起き、金属の表面に酸化物やその他の化合物の層ができます。これを総称して「さび」といいます。

▲公園のさくは、長年、空気中の酸素と雨水にしん食され、赤茶色のさびにおおわれている。

鉄にできる「さび」には、「赤さび」と「黒さび」があります。

赤さび（赤茶色）は、鉄が水や空気にふれ、鉄と酸素が結びついて赤茶色の「酸化鉄」になったもので、自然に発生します。放っておくと、鉄の表面だけではなく内部にまでしん食して、鉄全体をふしょくさせます。

一方、黒さび（黒色）も、鉄と酸素が結びついた酸化鉄の一種ですが、こちらは鉄の表面にまくを作り、内部を保護する働きをします。表面を黒さびがおおった鉄は、赤さびが内部にしん食しにくくなります。しかし、黒さびは自然には発生せず、鉄を数百度の高温で熱するなど、人工的に発生させる必要があります。

▲街灯の根元は、犬がよくおしっこをかけるため、とてもさびやすくなっている。おしっこにふくまれる酸と塩が、さびの進行を加速させる。

また塩には、鉄の表面の保護まくをふしょくさせる成分がふくまれているため、鉄のさびが進むのを早めます。

科学小知識

「氷」

水は、「水分子」が集まってできていて、温度によって固体、液体、気体の3つの状態になります。温度が0～100度の時は、水分子はたがいにふれ合いながら自由に動き、さまざまな形に変化する「液体」つまり「水」となります。温度が100度をこえると、水分子どうしはバラバラになって空間を自由に飛び回り、水は「気体」である「水蒸気」となります。温度が0度以下になると、水分子は動きを止め、たがいに結合して「固体」の「氷」となります。水がこおると、体積は10%ほど増加し、非常にかたくなります。

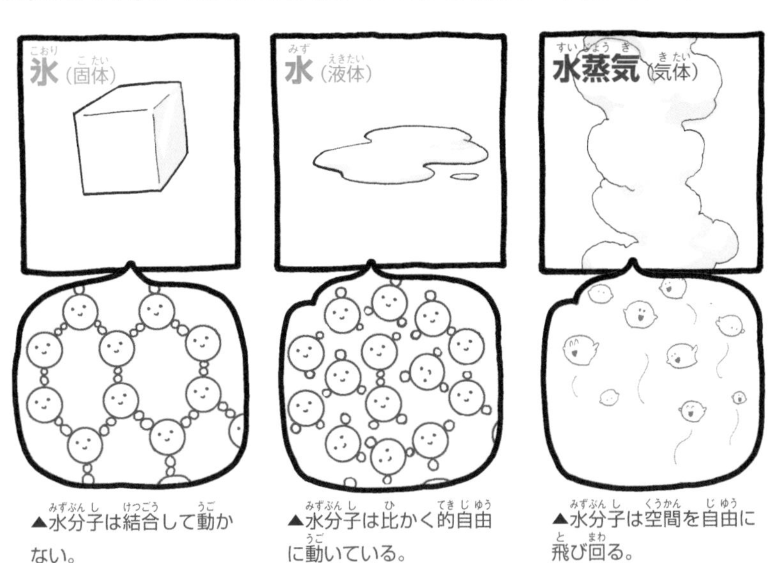

▲水分子は結合して動かない。

▲水分子は比かく的自由に動いている。

▲水分子は空間を自由に飛び回る。

物語の中で、マックがへいを登ろうとした時、最初は、この水の特性を利用しようとしました。まず、布きれを水でぬらして丸め、氷の張ったへ

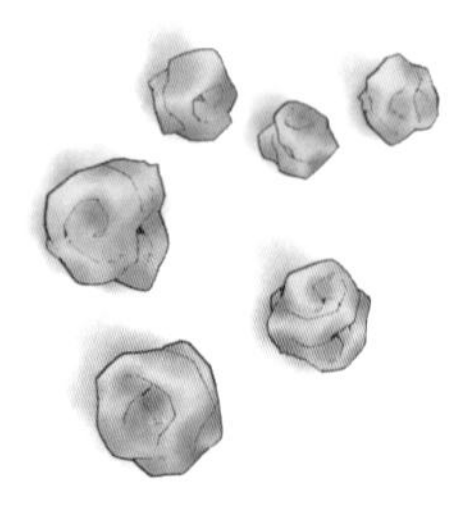

いの表面に押し付けました。布きれにしみていた水がへいの表面の氷を少しとかしますが、れい下10度近い気温のもとでは、少し時間がたつと、布きれの水とへいの表面の水がいっしょにこおり、丸めた布きれがへいにくっついて「足がかり」となります。マックはこの「足がかり」に足をかけてへいを登ろうとしますが、残念ながらこの「足がかり」ではマックの体重を支えられず、マックの最初のもくろみは失敗してしまいます。

マックは次も、水の特性を利用しました。布ロープのはしにおしっこをかけてぬらし、へいの向こうへ放り投げます。ぬれた部分がへいの表面の氷にふれた時、布ロープはすぐにそこに張りついて、まるで釘で打ち付けたように固定されました。マックはこの布ロープをつかんで、へいを登ることができたのです。

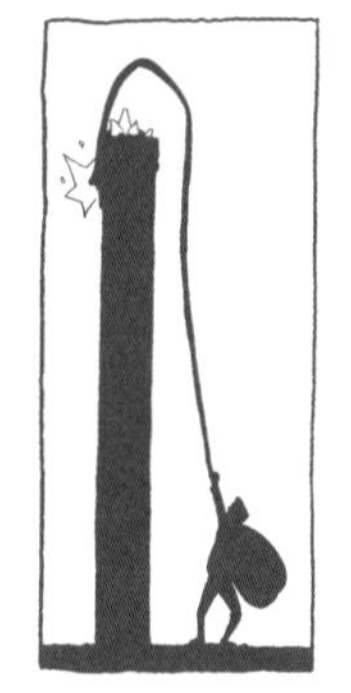

でも、おしっこをかけた布ロープは、どうしてへいの表面の氷に張りついたのでしょう？　原理はとても簡単です。私たちが冷とう庫から素手で氷を取り出そうとした時、氷が手にくっついてしまうことがありますね。

手の表面の温度は30度以上あります。手が氷にふれた時、氷の表面は手の熱によって少しとけて水になります。しかし、氷はとても冷たいため（冷とう庫は世界基準でれい下18度、通常はれい下10度くらいなので、氷もれい下10度くらいあります）、とけた水もすぐに再びこおってしまいます。また、手の表面のしめり気（水蒸気）も、氷の冷たさによってこおってしまいます。こうして、氷の表面でいったんとけた水と、手の表面の水蒸気とがいっしょにこおる時に一体化し、これが接着剤の役目をして手が氷にくっついてしまうのです。

▲実験をしてみたよ。30度前後の温水にひたしたタオルをしぼり、氷の上に置いてみると……、ほら！　氷とタオルはくっついた！

　同様に、おしっこをかけてぬらした布ロープの温度は30度ほどあります。この部分が、こおったへいの表面にふれた時、おしっこの熱でへいの表面の氷が少しとけます。一方、当時の気温はれい下10度以下で、へいの表面も同じくらい低い温度だったため、へいの表面の氷はすぐにおしっこの熱を吸収し、布ロープにしみたおしっこをこおらせます。同時に、へいの表面でとけた水も再びすぐにこおります。こうして、おしっことへいの表面の水がこおる時に一体化し、強力な接着剤のように布ロープをへいの表面に固定したので、マックは布ロープをつかんでへいを登ることができたのです。

　朝になって気温が0度以上に上がると、氷はとけ始め、へいの表面にくっついていた布ロープの一部分も地面に落ちました。これが、ホームズたちが見たぼろきれの正体だったのです。

監修／藤丸卓哉(元大磯教育研究会CEO)

おまけまんが

雪すべり①

雪すべり②

雪すべり③

スキーがうまくなるコツは？
分厚くてふわふわの服を着ることさ

それはかぜひかないようにでしょ？スキーと関係ないよ
大ありだね

どうして？

痛くないから思う存分転べるよ

雪すべり④

雪すべりには何が必要？
まずは肉を買うんだね

肉をどうするの？
犬にやるのさ

関係ないじゃん
まあ見ててごらん

ホームズのミニ科学マジック

タオルと氷をくっつけてみよう

1

タオル1枚と、洗面器に入れた30度くらいの温水を用意する。冷とう庫から氷を出す。

2

タオルを洗面器の温水にひたし、しぼる。

3

タオルを氷の上にのせると、氷とタオルがすぐにくっついたよ。

科学的解説

タオルにしみこんだ温水が、0度よりも温度の低い氷にふれると、その熱はすぐに氷に吸収され、タオルの水分はいっしゅんにして凝固します。同時に、氷の表面は温水の熱にふれてとけますが、この熱もすぐに氷のかたまりに吸収され、いったんとけた氷の表面の水も、すぐにまたこおります。こうして、いっしゅんの間に、タオルにしみこんだ水と、氷の表面の水とが結合して、タオルと氷がくっつくのです。これと同じ原理で、水にぬれた手と氷も、すぐにくっついてしまいますよ。

監修／藤丸卓哉（元大磯教育研究会CEO）

作 **ライ・ホー** 法政大学日本文学科、ニューヨーク大学映画研究学科卒業。香港の大手映画会社と出版社の勤務を経て、1994年に出版社を創立。編集と経営の仕事をこなしながら、映画脚本（『恋の風景』『金魚のしずく』）や翻訳の仕事にも携わり、現在に至る。

訳 **三浦裕子** 仙台生まれ。出版社にて雑誌編集、国際版権業務に従事した後、2018年より台湾・香港の本を日本に紹介するユニット「太台本屋 tai-tai books」に参加。版権コーディネートのほか、本まわり、映画まわりの翻訳、記事執筆等を行う。訳書に林育徳『リングサイド』（小学館）など。

キャラクター原案 **コナン・ドイル**（1859〜1930）
1859年イギリス生まれ。小説家、医者。1887年に名探偵シャーロック・ホームズを主人公とした作品『緋色の研究』を発表。合計60ものホームズ作品を書いた。現代に続く推理小説の基本を作った人物。

シャーロック・ホームズ 1

シャーロック・ホームズの大追跡

2022年10月24日 初版第1刷発行

作 **ライ・ホー**（厲河）
イラスト **ユー・ユエンウォン**（余遠鍠）
訳 **三浦裕子**
キャラクター原案 コナン・ドイル

発行人 飯田昌宏
発行所 株式会社 小学館
〒101-8001 東京都千代田区一ツ橋2-3-1
電話 編集 03-3230-5170
販売 03-5281-3555
印刷所 凸版印刷株式会社
製本所 牧製本印刷株式会社

装幀・組版 近田火日輝（fireworks.vc）
校正 小学館出版クォリティセンター
制作 直居裕子、木戸礼
宣伝 野中千織
販売 窪 康男
編集 有光沙織

 ISBN 978-4-09-290658-7